감정,　　　읽는
이미지,　　클래식
수사로

이 도서의 국립중앙도서관 출판예정도서목록(CIP)은
서지정보유통지원시스템 홈페이지(http://seoji.nl.go.kr)와
국가자료종합목록 구축시스템(http://kolis-net.nl.go.kr)에서
이용하실 수 있습니다.

(CIP제어번호 : CIP2020044518)

감정,　　　읽는
이미지,　클래식
수사로

윤희연　　　듣는 사람을 위한 가이드

마티

I   감정으로 읽기

들어가며

어떤 음식이든 그냥 짜다, 달다, 맵다 하지 않고 꼭 그 안에 무슨 재료가 들어가서 이런 맛을 냈는지, 불은 어떻게 조절했는지 따위를 궁금해하는 사람이 있다. 이런 사람들은 결코 평범한 미식가로 생을 마칠 수 있는(?) 운명이 아니다. 이들은 셰프혹은 요리 연구가가 되어야 직성이 풀리는 사람들이다.

필자도 음악에 있어서는 어느 정도 그런 운명을 타고난 사람인지도 모른다. 중학생 무렵, 영화 「아마데우스」를 감명 깊게 보고 그 즉시 음반 가게로 달려가 OST를 샀다. 모든 트랙이 다 좋았지만, 특히 〈두 대의 피아노를 위한 협주곡〉의 어떤 부분은 정말 설레고 달콤했다. 뭐가 이렇게 좋지? 여기 진짜 좋은데 왜 좋은 거지? 비슷한 멜로디가 여러 번 반복되는 구간이었는데, 마치 다른 세계로 순간이동을 하거나 컬러가 형형색색으로 바뀌는 느낌이 들었다. 뿐만 아니라 다른 음악에서도 그런 뉘앙스를 가진 구간이 나오면 매번 전율을 느꼈다.

그때는 그냥 모차르트가 천재라서 그러려니 생각했다. 천재의 음악이니까 전율이 느껴지겠지. 물론 음악 천재들에 대한 존경심은 지금도 여전하다. 다만 화성학을 배운 지금에 와서 보니, 심장이 두근거리던 그 부분은 흔한 작곡기법의 하나인 '동형진행'이었다. 수사학으로 치면 훌륭한 연사가 톤을 점차 고조시키면서 청중을 설득하는 점층법이 사용된 부분이었다. 뿐만 아니라 화성과 대위 등 여러 음악이론들을 배운 후 알게 된 건 아무리 천재라도 '느낌'으로만 음악을 만든 게 아니라는 사실이다. 어찌 보면 필자는 작곡 그 자체에 대한 즐거움보다 작곡가의 생각, 악보나 연주의 표현 방식, 그리고 듣는 사람 안에서 펼쳐지는 판타지까지, 음악을 둘러싼 일련의 과정들에 신비감을 느꼈던 듯하다.

이런 호기심과 선망은 결국 뒤늦은 음대 입학으로 이어졌다. '정말 그런 게 하고 싶어서 퇴사하는 거야?'라고 신기하게 쳐다보던 한 직장동료의 눈빛이 떠오른다. 많은 이들이 그렇듯 나 역시 어느 정도의 청음과 초견 능력을 갖추고 있으니 작곡법의 몇몇 기술과 화성진행 공식만 익히면 해볼 만하다는 막연한 자신감이 있었다. 그러나 (당연히) 작곡은 화성과 대위, 관현악 편곡법 따위를 안다고 술술 풀리는 게 아니다. 아무리 좋은 소리, 좋은 화성 진행을 들려줘도 내 귀가 알아먹지 못하면 말짱 꽝인, 뭐가 옳고 그른지, 좋고 나쁜지 항상 모호한, 지금까지 공부해온 것과는 다른 감각을 요하는 세계였다. 작곡과 워크숍 시간에는 누구의 곡이 좋은지 의견이 극단적으로 갈리기 일쑤였다. 잔뼈 굵은 평론가들도 말러의 교향곡이 초연될 때마다 참신하다느니 난잡하다느니 평가도 제각각인데다, 비발디의 《사계》는 바로크 시대에 어울리는 이 무지치의 연주가 더 좋다는 사람이 있는가 하면 번개 맞은 로커처럼 격렬하게 《사계》를 해석한 파비오 비온디를 선호하는 사람도 있는, 한마디로 정답이 없는 세계였던 것이다.

이 세계에서는 창작이나 연주, 감상법에 대한 정답이 없다. 과학으로 입증할 수도 없을뿐더러, 정답을 찾으려 시도하면 할수록 점점 이상해진다. 다만 남겨진 고서(古書)를 독해하는 연구가처럼 악보에 적힌 메시지를 이리저리 펼쳐 읽어보려고 오늘도 많은 음악가들이 끊임없이 시도할 뿐이다.

이 책은 악보, 학술 서적, 논문, 관련 책 등 전문적 내용들을 나름의 관점으로 리라이팅한 저술이자 음악에 대한 필자의 감상과 온갖 '느낌'까지, 발길 닿는 대로 음악 세계를 탐험하는 음악 기행문이다. 단, 작곡가의 일대기와 그해에 일어난 역사적 사건 등등, 음악 바깥의 사실을 통해 음악에 접근하는 클래식

입문서들과는 조금 다른 방식을 시도한다. 여기서는 하나의 음악을 이해하기 위해 역사적 배경이나 작곡가의 개인사 등을 살피기보다는 되도록 '음악 그 자체'를 조명하려는 의도가 강하다.

따라서 이 책은 작곡가의 아이디어, 표현을 위해 묶인 여러 재료들의 배치, 작곡 기법들, 그리고 이 모든 것이 응축된 악보가 연주될 때 감상자의 마음에 일어나는 판타지에 관해 감정, 이미지, 수사(이야기)라는 키워드로 읽어내는 시도를 할 것이다. 1, 2부는 감정, 풍경, 대상 등 무언가를 '그리는 음악'을, 3부는 청중을 설득하는 음악의 기술과 소나타에 숨어 있는 이야기에 관해 다루고 간간히 대중가요, 영화 및 드라마 음악, 록, 케이팝(K-pop) 등 여러 대중적인 음악들 속에서 발견되는 관용적 음악 표현에 대한 얘기도 곁들였다. 다만, 악보가 많이 등장하는 것에 대해서는 미리 양해를 구한다.

책을 읽다 보면 영원히 밝힐 수 없는 문제, 그래서 때로는 허무맹랑하게 들리는 부분도 있을 것이다. 그런 문제를 감안하더라도 여러분이 이 책을 통해 소리 세계의 숨겨진 메시지를 한 번쯤 생각해보면 분명 전보다 훨씬 더 즐겁고 풍성하게 클래식 음악을 감상할 수 있을 것이다.

I

감정으로 읽기

과거로부터 지금까지 철학, 심리학, 의학 등 여러 분야에서 인간의 감정이 무엇인지, 또 감정의 메커니즘은 어떻게 작동하는지에 관해 끊임없이 연구가 이루어지고 있지만[1] 우리는 여전히 인간의 감정에 대해 잘 이해하지 못한다. 기쁠 때 눈물이 흐르고, 화날 때 웃음이 나고, 즐거운데 죄책감이 드는 등, 시시때때로 우리 안에 물결치는 무언가를 명확히 구획 짓기는 거의 불가능해 보이니 말이다.

　　때로는 여러 과학적인 연구들보다, 음악을 듣다가 문득 거기에 드러난 독특한 표현 방식을 통해 인간이 그러한 감정들을 어떻게 이해하는지 (거꾸로) 엿보는 경우가 있다. 사실 음악이 하는 일 중 가장 근본적인 것이 '인간의 감정을 모방'하는 것이다. 음악은 희로애락을 느끼며 뱉어내는 인간의 목소리 톤이나 말의 빠르기, 감탄사 등등을 직접적으로 흉내 내기도 하고, 대상이 되는 감정이 지닌 몇몇 특질을 크로키 화가처럼 예리하게 잡아내어 음악의 역사 창고에서 꺼낸 선율, 화음, 리듬 등의 도구로 그림을 그리기도 한다. 또는 표현 의도를 분명히 하기 위해 특정 시대, 특정 장소에서 관습적으로 사용되던 음악 구문을 마치 지시어나 이디엄처럼 활용할 때가 있는가 하면, 많은 이들이 약속이나 한 듯이 시공간을 초월해 유사한 형태의 표현을 사용하는 경우도 있다. 나아가 어디에도 명문화되지 않은 채로, 지금 어디선가 흘러나오는 음악이 각자의 마음속에 발산적인 여러 감정들을 불러일으켜 나에게 각별한 이야기로 해석되기도 한다.

여기서는 음악이 다루는 감정을 '슬픔', '유희와 광기', '고통(또는 공포)', '열정'이라는 다섯 개의 키워드 중심으로 살펴보려 한다. 보다시피 이것은 전형적인 감정 분류 방식은 아니

---

1   17세기의 프랑스 철학자 데카르트는 감정을 경탄, 사랑, 증오, 욕망, 기쁨, 슬픔으로 분류한 반면, 오늘날의 심리학자 수잔 데이비드는 기쁨, 슬픔, 분노, 불안, 상처, 당황의 여섯 가지 항목으로 감정을 세분화한다. 그런가 하면 모두가 '이성'의 중요성을 언급하던 16세기에 일찍이 '감정'을 인간의 '신체성'과 연결하여 이해했던 네덜란드의 철학자 스피노자는 인간의 모든 감정이 기쁨, 슬픔, 욕망의 세 가지 항목 안으로 수렴된다고 보았다.

지만(광기, 고통, 열정은 스피노자가 분류한 기쁨, 슬픔, 욕망 세 가지 감정을 배합만 다르게 한 감정인지도 모르지만) 음악이 인간의 감정을 어떻게 구체적으로 악보에 담아 왔는가에 초점을 두고 이야기를 나누려 한다.

슬 픔

눈물음형

작곡가들은 감정을 음악으로 표현하기 위해 어떤 선율을 만들었을까? 음악이 감정을 그려내는 방식은 왠지 아주 모호할 것 같은 기분이 든다. 그러나 흥미로운 사실은 작곡가들이 의외로 아주 간단명료한 아이디어를 음악에 적용하는 경우가 종종 있다는 것이다.

대표적인 것이 바로 '눈물음형'이다. '음형'(音形, 음의 형태)이라는 단어 자체에서 벌써 감을 잡은 분들도 있을 듯하다. 지금으로부터 500여 년 전 유럽에 살았던 작곡가들은 슬픈 내용의 가사에 선율을 붙일 때 '눈물방울이 떨어지는' 모습을 떠올렸고, 이것을 마치 악보에 그림을 그리듯이 음표가 차례로 한 음씩 내려가는 음형으로 '그렸다.'

한 음씩 차례로 내려가는 선율 형태가 바로 500-

600년 전 작곡가들이 사용한 '눈물음형'이다. 예를 들어 조스캥 데 프레가 한 공작으로부터 추모곡을 의뢰받고 작곡한 모테트[2] 〈주여 불쌍히 여기소서〉(Miserere mei, Deus, 1503) 중 'Miserere mei, Deus'라는 가사에는 '눈물방울이 떨어지듯' 연속 하강하는 눈물음형이 여러 성부에서 꼬리를 물고 이어진다.

이

눈물음형이 특별히 베이스(Bass) 성부에 나타날 경우, 이를 '탄식저음'(Lament Bass)이라 부르는데 탄식저음은 여러 비극적이고 슬픈 내용의 음악들에 자주 쓰인다. 예를 들어 사랑에 빠진 카르타고의 여왕 디도와 트로이 왕자 아이네아스는 마녀들의 간계로 사랑을 이루지 못하고, 디도가 이를 슬퍼하며 자결하려는 장면(헨리 퍼셀, 오페라 《디도와 아이네아스》(1688) 중 디도의 비가 〈내가 땅에 묻힐 때〉), 또 예수의 십자가 고난을 표현하는 장면(J. S. 바흐, 《B단조 미사》(1749) 중 〈십자가에서〉)에서 탄식저음은 각각 아홉 번, 열세 번 반복된다.

얼마나 슬펐으면 탄식저음을 이렇게나 여러 번 반복했을까? 이렇듯 베이스 성부에서 일정한 선율이 무수히 반복될 때 이를 '고집저음'[3]이라 부른다. 영원히 끝나지 않을 듯한 이 고집저음에 담긴 무한 반복성[4]과 '눈물음형'의 결합이 던지는 메시지는 무얼까? 굳이 말하자면 우리나라의 한(恨) 비슷한 정

01	조스캥 데 프레, 〈주여 불쌍히 여기소서〉의 눈물음형

02	영화 「레옹」의 테마음악 〈세이프 오브 마이 하트〉에 나오는 탄식저음

2	모테트(Motet). 프랑스어로 '단어'(Mot)라는 글자에서 유래된 성악곡으로 13세기에 정착되었다. 중세와 르네상스 시대에 세속음악과 교회음악 모두에서 유행했으며, 처음에는 라틴어 가사로 된 2–3성부의 교회 및 세속 음악이었다가, 르네상스 후기 이후 지금까지 종교적 가사를 담은 모든 언어로 된 다성음악을 가리키게 되었다.

3	고집저음(ostinato bass). 오스티나토(ostinato)는 이탈리아어로 '지속' '반복'을 뜻하여 특정 베이스 진행이 끊임없이 반복되는 것을 말한다.

4	이 책의 '광기' 부분(33쪽 이하) 참고. 음악에서 과도한 반복의 제스처는 종종 '광기'의 표현으로 쓰인다.

서, '집요하게 곱씹는 슬픔' 정도가 되지 않을까?

흥미로운 건 오늘날에도 수많은 음악에 눈물음형이 나온다는 사실이다. 예를 들어 청부살인업자 레옹과 이웃집 마틸다의 고독과 애틋한 사랑을 떠오르게 하는 영화 「레옹」(1994)의 OST 〈셰이프 오브 마이 하트〉(Shape of My Heart)에는 베이스에 눈물음형(탄식저음)이 사용되는데, 영화 내내 특유의 쓸쓸한 분위기를 조성하는 데 중요한 역할을 한다. 02

90년대 애절한 발라드로 우리를 사로잡았던 김동률의 노래 중 헤어진 연인과의 재회 속에서 설렘과 이별의 아픔을 회상하는 〈다시 사랑한다 말할까〉 후렴구에도 눈물음형이 등장한다. 눈물처럼 한 음씩 천천히 떨어지는 베이스 진행은 사랑과 이별의 아픔을 노래하는 발라드들에 여전히 많이 쓰인다. 의사들의 병원 내 정치와 야망을 그린 드라마 「하얀 거탑」(2007)에서도 천재 외과의사 장준혁이 야망을 위해 중요한 수술에 들어갈 때, 혹은 자신의 운명을 좌지우지할 병원 내 권력자들과 사이에서 긴장감을 유지하며 신경전을 벌이는 장면에 어김없이 등장하는 〈비 로제트〉(B Rossette)에도 이 눈물음형이 등장하는 걸 볼 수 있다.

사실 떨어지는 눈물방울뿐 아니라 우리는 해가 서쪽으로 지는 풍경을 보거나, 훨훨 날아가던 새가 땅으로 떨어질 때에도, 아니 '아래로 서서히 추락하는' 모든 것에 대해 슬픔을 느낀다. 왜 우리는 이러한 음악 이디엄을 가지고 소통하는 걸까? 혹은 작곡가들이 자주 이렇게 쓰다 보니 학습된 걸까? 쉽게 답하기는 어렵지만, 확실한 건 지금도 슬픔과 관련된 내용을 담은 음악에는 한 음씩 순차 하행하는 눈물음형이 자주 모습을 드러낸다는 사실이다.

나폴리 6화음

사전에 나오지는 않지만 특정 시대에 특정 장소에서 유행하는 말이 늘 있다. 철저히 사회적으로 약속된 것은 아니지만, 누군가 '~했어요', '~했다' 대신 '~했지 말입니다!'라고 우렁차게 외친다면 오늘날 대한민국 성인이라면 대부분 '아, 군인인가 보다'라고 생각할 듯하다.

오래전 우리나라에 TV도 변변히 없던 시절, 물건을 팔기 위해 흥미로운 이야기를 들려주던 길거리 변사나 혹은 마당극의 서사를 읊는 이는 관중들을 더욱 자극하기 위해 '~했다'라는 평범한 종결어미 대신 한탄하는 어조로 '~했던 것이었

---

5 오라토리오(oratorio)는 주로 종교적인 내용을 담은 성악곡으로 오페라와 달리 소품, 의상, 연기 등의 요소가 없고 독창보다 합창이 중요시된다.

다!'라고 말하곤 했다. 이런 표현이 반복되면 나중에는 내용을 굳이 듣지 않아도 저 변사가 지금 뭔가 예사롭지 않은 이야기를 들려주고 있구나 하고 알아차리게 된다.

'눈물방울이 떨어지는' 모양이 눈물음형이 되었다면, 이처럼 종지(cadence, 음악의 문장이 마치는 부분)가 약간 변형되어 슬픔의 이디엄이 되기도 한다. 즉, 극 중 슬픈 내용이 등장할 때마다 변형이 가해진 특정 종지를 반복적으로 청중에게 들려주다 보면, 나중에는 이러한 종지만 듣고도 비극으로 흘러갈 것을 예상할 수 있게 된다.

많은 이디엄 가운데 여기서는 17세기 이탈리아, 특히 나폴리의 비극에 자주 쓰이던 음악 이디엄의 예를 간단히 살펴보려 한다. 예를 들어 자코모 카리시미의 오라토리오[5] 〈입다〉(Jephte, 1645)에는 비극의 장면마다 '나폴리 6화음'(N6)이라 불리는 화음이 들어간 독특한 종지 구문이 등장하곤 한다. 이 곡은 구약 성서에 나오는 장군 입다의 이야기로, 그는 전쟁에 승리하고 돌아올 때 가장 먼저 나와 맞이하는 자를 신에게 제물로 바치겠다고 서원한다. 그런데 전쟁에서 승전한 후 그를 가장 처음 맞이하러 나온 이는 다름 아닌 자신의 외동딸이었고, 비극이 시작되는 이 대목부터 앞에서는 한 번도 등장하지 않았던 이 특이한 종지가 음악 내내 반복된다. 카리시미의 극음악뿐 아니라 나폴리 지방에서 상연되었던 비극들이 자주 이러한 종지를 사용하였기에 여기 쓰이는 화음을 지역 명칭을 따서 '나폴리 6화음' 또는 '네아폴리탄 6화음'이라 명명했다.

이러한 형태의 종지는 약 100년 후에도 헨델의 오라토리오 〈요셉과 그의 형제들〉(1744) 중 이집트의 총리가 된 요셉이 힘든 시절을 회상하는 장면에 슬픔의 이디엄으로 사용되는 걸 볼 수 있다. 이탈리아에서 유행하는 음악 어법들을 섭렵하고 있었던 헨델은 이 곡에서 나폴리 6화음 종지를 일종의 '지시어'처럼 사용해 관객의 이해를 돕는다.

나폴리 6화음이 사용된 종지에 대해서는 이 정도로만 이해해도 충분하다. 그러나 더 알고픈 분이라면 17세기 나폴리의 비극 오페라에서 유행하던 바로 그 종지 구문(N6-V7-i)의 악보(26쪽)를 보자. 악보에서 플랫(동그라미 부분)을 빼고 칠 경우 음악에서 일반적으로 문장을 마치는 종지가 된다(ii6-V7-i). 그러나 플랫을 붙일 경우 비극에 특화된 나폴리 6화음이 들어간 종지 구문(N6-V7-i)이 된다.

악보는 낯설어 보일지 몰라도 만약 베토벤의 유명한 〈피아노 소나타 14번〉(Op.27-2, 1801), 일명 '월광' 소나타를 들어보았다면 귀는 이미 나폴리 6화음이 들어간 이 특별한 종지를 경험한 것이다. 그만큼 나폴리 6화음이 들어간 종지는 클래식 음악에 많이 쓰이는 마침법 중 하나가 되었다(베토벤이 월광 소나타에서 청중을 슬프게 만들려고 이런 종지를 사용했는지 어떤지는 알 수 없다. 왜냐면 소나타에는 노래 가사가 붙어 있지 않기 때문이다).

지금도 나폴리 6화음 종지는 여전히 슬픔의 이디엄으로 작동하고 있을까? 결론부터 말하면 오늘날엔 거의 쓰이지 않는다. '~했던 것이었습니다!' 하는 변사의 언어가 더 이상 쓰이지 않듯이 말이다. 따라서 눈물음형과 달리 그 쓰임새조차 드물어진, 약 300-400년 전 나폴리 지방을 중심으로 한시적으로 사용된 슬픔의 음악 언어라 할 수 있겠다.

이탈리아의 비극 오페라에 대대적으로 사용되었던 나폴리 6화음 대신, 19세기 이후 지금까지 애절한 감정과 함께 자주 등장하는 화음이 있는데 바로 '반감7화음'이다. 차이콥스키의 마지막 곡 〈교향곡 6번 '비창'〉(1893) 4악장의 첫 부분을 한 번 들어보기 바란다. 강렬하게 비탄을 뱉어내는 첫 화음이 바로 이 7화음이다. 반감7화음은 19세기 낭만시대 음악가들이 숱하게 썼던 비련의 화음이자, 오늘날에도 많은 대중음악에서 시적 화자가 진짜 하고 싶은 이야기를 꺼낸 후 감정이 가장 고조될 때, 혹은 클라이막스로 가기 직전 분위기를 띄우는 지점에 매우 자주 등장한다. 예를 들면 김범수의 발라드 〈보고 싶다〉 후렴구에서 가장 호소력 짙은 가사 부분('미칠 듯 사랑했던 기억이'), 페퍼톤즈의 〈검은 산〉이라는 곡의 후렴구 '검은 산을 넘으면 너는 날 안아주겠지'라는 가사에 연속적으로 반

○4

03   17세기 나폴리 비극 오페라에서 비극 장면에
이디엄처럼 사용되었던 특이한 종지 구문

04   반감7화음 [6]

    오늘날 재즈 코드로 minor 7th(♭5) 화음.

감7화음이 붙는다. 작곡가 유희열도 한 인터뷰에서 이 화음에 대해 각별한 애정을 드러낸 바 있다.

어쨌든 그 시대의 희로애락과 조우하는 이디엄들은 나폴리 6화음 종지 구문처럼 언제든 유행이 끝날 수도 있지 않을까? 이 역시 슬픔을 가리키는 고정불변의 이디엄들은 아닐지 모른다.

템포 아다지오

헤어진 연인, 사별한 가족에 대한 그리움, 망국에 대한 한탄, 시든 꽃을 보며 느끼는 인생무상… 우리가 삶에서 느끼는 슬픔이라는 감정의 스펙트럼은 무한히 넓다. 그럼에도 눈물음형이나 나폴리 6화음 종지 구문과 달리 시류를 타지 않는 '절대'에 가까운 슬픔의 음악 언어가 하나 있으니, 바로 '느린 템포'이다.

'느린 템포'는 그 자체로 슬픔의 본성과 가장 맞닿아 있는 음악 언어이다. 실제로 음악의 템포는 심장 박동이나 호흡 등 감정으로 촉발되는 신체 리듬을 닮아 있어 바로크 시대에는 템포와 정서(감정)를 연결 짓는 시도가 많았다. 예를 들면 아다지오(Adagio)는 '비탄', 렌토(Lento)는 '위안', 안단테(Andante)는 '희망', 프레스토(Presto)는 '열망'과 관련된다는 생각 같

은 것이다.[7]

하지만 우리는 슬픈 음악에서 템포보다는 '단조'를 먼저 떠올리곤 한다. 실제로 학창시절 음악 시간에 장조는 '밝은' 조이고 단조는 '어두운' 조라고 배우기도 했다. 이것 역시 마테존의 견해('장조는 밝고 경쾌한 표현에, 단조는 슬프고 우울한 표현에 사용되어야 한다')에서 온 것인데, 많은 이가 공감할 수 있는 얘기다.

그런데 음악을 듣다 보면 마테존이 '밝은 표현을 위해 쓰는 조'라고 여겼던 '장조'가 단조만큼이나 슬픈 음악에 사용되는 경우를 매우 자주 볼 수 있다. 예를 들어 일 나간 엄마를 홀로 집에서 하염없이 기다리다 파도 소리를 들으며 혼자 잠 드는 〈섬집 아기〉, '넓고 넓은 바닷가에 오막살이 집 한 채~' 하는 구슬픈 〈클레멘타인〉은 둘 다 장조 곡이다. 장례식에 쓰이는 추모곡에도 단조 못지않게 장조로 된 곡이 많다. 몇 년 전 대통령 서거 때 서울시향이 추모곡으로 택한 라벨의 〈죽은 공주를 위한 파반느〉와 엘가의 〈니므롯〉은 장조 음악이다. 특히 엘가

7   바로크 시대에 크게 유행한 '감정이론'은 음악과 추상적인 정서(사랑, 기쁨, 슬픔 등)를 연결지으려는 시도로 요한 마테존(Johann Mattheson, 1681–1764)은 18세기 감정이론의 대표적인 인물이다. 주요 저서로 『새로운 오케스트라』(1713), 『완전한 악장』(1739) 등이 있으며, 『새로운 오케스트라』는 조(key)와 정서, 악기와 정서, 템포와 정서 등의 문제를 다룬다.

의 〈니므롯〉은 장례식의 단골 레퍼토리로, 1997년 영국 다이애나 왕세자비 장례 때 이 곡이 연주된 이후 우리나라에서는 2014년 4월 세월호 사고, 2016년 바이올리니스트 권혁주 사망, 2018년 제주 4·3 희생자 추모 음악회 등에서 연주되었다. 또 아인슈타인의 장례 및 미국 존 F. 케네디 대통령 서거 때에는 새무엘 바버의 〈현을 위한 아다지오〉가, 세월호 사고 후 내한한 스위스 취리히 톤할레 오케스트라의 연주회에서는 바흐의 〈G선상의 아리아〉가 추모곡으로 연주되었는데, 이 음악들은 모두 '장조'로 되어 있다.

라벨의 곡에는 그나마 제목에 '죽은'이라는 단어라도 들어 있으니 그렇다 치자. 다른 곡들의 작곡 배경에는 어딜 봐도 애도와 관련된 메시지가 없다. 〈G선상의 아리아〉는 바이올리니스트 빌헬미가 바흐의 관현악곡(BWV1068)을 바이올린 개방현 'G'에서 전부 연주가 가능하도록 편곡하면서 붙인 제목이고, 엘가의 《수수께끼 변주곡》중 열 번째 변주곡 〈니므롯〉은 그저 엘가가 여러 지인들을 떠올리며 작곡한 열네 개의 변주곡 중 가장 친한 '요하네스 예거'라는 인물에 관한 곡으로, 죽은 이를 기리는 곡이 아니다.

세상에는 '추모용'으로 만들어진 음악들도 많은데, 추모와 관련된 메시지라고는 전혀 없는 이런 음악들이 왜 이토록 자주 장례곡으로 쓰이는 걸까? 이러한 곡들은 유명인의 장례 때 선택되었다는 이유로 다시 선택받았을 가능성이 높다. 그러나 맨 처음 이러한 곡들을 추모의 용도로 선택한 지휘자들은 무슨 생각이었을까? 비용이나 행정적인 문제 등 지극히 현실적인 이유일 수도 있지만 정확한 사정은 알 수 없다. 심지어 지휘자 자신도 설명하기 힘들어할지 모른다. '단조 = 슬픔'이라는 널리 알려진 공식보다 더 직관적이고 깊은 본능을 따르는 그들의 '직감'으로 고인을 추모할 음악을 나름 선택했으리라. 다만 추모곡이 아닌데도 애도용으로 많이 쓰이는 곡들의 템포가 느린 것은 (너무 뻔해 보일 수 있지만) 중요한 공통점이다.

앞서 언급한 추모곡들 중 제목에 각별히 '템포'를 명시한 음악이 하나 있다. 바로 새무엘 바버의 〈현을 위한 아다지오〉이다. 이미 비통함에 잠겨 있었다는 듯 저음부에서 모호한 7화음으로 첫 음절을 떼는 이 곡은 베트남전의 참상을 그린 영화 「플래툰」에서 가장 격렬한 전쟁 장면의 배경음악으로 사용된다. 음악은 마치 영상 밖에서 아비규환의 현장을 바라보는 참전 군인의 부모나 애인의 심정을 대변하는 듯 느리고도 비통하게 울먹인다.

---

8   빠르기는 프레스토(Presto) > 비바체(Vivace) > 알레그로(Allegro) > 모데라토(Moderato) > 안단테(Andante) > 아다지오(Adagio) > 렌토(Lento) > 라르고(Largo) 순서로 느려진다.

바버의 음악처럼 제목에 템포가 명시되어 있지는 않지만 〈니므롯〉은 아다지오, 〈G선상의 아리아〉는 안단테, 〈현을 위한 아다지오〉는 몰토 아다지오(Molto Adagio)로 전부 아주 느리다.[8] 뿐만 아니라 슬픈 클래식 곡의 대명사인 차이콥스키의 〈교향곡 6번 '비창'〉은 1악장 서주의 템포가 아다지오, 4악장이 몰토 아다지오로 되어 있고, 특히 우리가 기억하는 비감 어린 선율이 나오는 곳들은 전부 '안단테'로 되어 있으며, 전체를 마무리하는 4악장도 안단테에서 사라지듯 마친다. 이 곡 역시 차이콥스키의 수많은 곡들 가운데 그의 추모곡으로 사용되었다.

이렇게 보면 음악에서 템포가 감정과 얼마나 깊이 결부되는지 알 수 있다. 그러니 슬픈 음악은 단조로 되어 있다고 말할 바에는 차라리 '느린 곡은 슬프다'고 하는 편이 훨씬 더 합당하지 않을까.

그럼 즐거운 곡은 템포가 항상 빠를까? 물론 음악에 예외 없는 공식 같은 건 없다. 아르헨티나의 빈민촌에서 탄생한 '탱고'는 템포가 무척 빠른데도 슬픈 느낌을 준다. 어떤 음악적 이유보다는 이 음악이 오랜 시간 서민들의 애환 속에서 함께 해왔기 때문일 것이다. 탱고의 표정은 어딘가 영화 「조커」의 주인공 조커의 웃음을 닮았다. 한마디로 '웃고 있지만 슬픈' 오묘한 감정이다. 오스트리아의 '왈츠'나 한국의 '트로트'도 마찬가지다. 19세기 말 혼란의 중심에 있던 빈의 황궁에서 울려 퍼지던 3박자의 경쾌한 리듬과 한없이 밝고 우아한 분위기의 왈츠는 바깥에서 벌어지던 사회의 온갖 참혹한 상황들을 애써 외면하려는 '가짜 향수' 같은 것으로, 어떤 이들은 빈 왈츠에서 슬픔과 우울을 읽어내기도 한다. 소위 '뽕짝'으로 불리며 시종 쿵 작거리는 경쾌한 리듬에 비극적인 이별이나 역사의 깊은 한을 담은 트로트 역시 서민들과 함께 해온 음악이다. 즉, 탱고나 왈츠, 트로트 등 그 음악이 처한 오랜 특수한 상황들은 그 음악이 건네는 목소리의 톤과 깊이 결속된다. 이처럼 오래도록 쌓인 특수한 기억들은 음악이 그리는 관습적 이디엄이나 신체의 본능적 리듬과 결부된 템포의 문제까지도 초월한다.

유희와 광기

스케르초 풍으로

춤이나 슬랩스틱 개그처럼 신체적인 유희가 있는가 하면, 상식을 비틀거나 현실을 풍자하는 정신적 유희도 있다. 또 어디에서든 놀거리를 찾아내어 시간 가는 줄 모르고 노는 아이들의 일상도 유희에 속한다. 음악 안에서 유희의 감정 역시 춤, 장난, 혹은 놀이의 방식으로 그려진다.

유희적 속성을 드러내는 대표적인 음악 용어 '스케르초'(scherzo)는 이탈리아어로 '해학', '농담'을 뜻한다. 하이든은 처음으로 소나타의 3악장에 '스케르초'를 넣는 시도를 했다. 05 소나타 형식으로 된 1악장이나 느리고 서정적으로 노래하는 2악장, 힘찬 피날레의 4악장에 비해 스케르초는 가볍고 생기 있는 분위기를 띤다.

진지한 소나타 음악에서 일종의 '쉬어가는' 구간인 스

05   하이든, 〈현악사중주 6번〉 3악장 스케르초 테마

06   쇼팽, 〈스케르초 2번〉 앞부분

9   갤롭(Gallop)은 영어로 '말이 빠르게 달리다'는 뜻으로 2/4박자의 빠르고 경쾌한 무용곡을 가리킨다.

10   트레팍(Trepak)은 러시아 민속 춤곡이다.

11   베토벤 때까지 스케르초가 주로 교향곡이나 소나타를 구성하는 하나의 악장에 그쳤다면, 이후 쇼팽이나 브람스의 단악장으로 된 독립적인 스케르초들은 보다 자유로운 연상으로 전개되는 판타지나 광시곡 분위기를 띠기도 한다. 악곡은 우울하고 심각한 표정을 짓다가 갑자기 명랑한 분위기를 띠는 등 종잡을 수 없는 조울증 환자의 기분처럼 전개된다.

케르초 악장은 대체로 경쾌한 춤곡의 특성을 활용해 해학의 뉘앙스를 만든다. 오펜바흐의 〈천국과 지옥〉 중 '지옥의 갤롭'[9], 차이콥스키의 〈호두까기 인형〉 중 '트레팍'[10] 같은 춤곡을 들어 보면 템포가 매우 빠른 편이라 주제와 화음이 단순하며, 유사한 단편들이 반복적으로 등장하는 특징을 갖는다. 또한 생기 발랄한 톤을 만드는 꾸밈음, 악센트, 스타카토와 같은 음악 요소가 자주 사용된다.

하이든의 가벼운 시도를 본격화한 것은 베토벤으로, 그의 스케르초 악장은 전부 3/4박자의 빠르게(Allegro)-매우 빠르게(Molto Vivace)의 템포로 되어 있고, 스타카토나 꾸밈음을 동반하는 생기 있는 모티브가 유사한 패턴으로 반복된다.[11] 쇼팽의 네 개의 스케르초는 하나같이 '프레스토'(Presto, 매우 빠르게)로 베토벤의 스케르초들보다 템포가 훨씬 빠르며, 〈스케르초 2번〉의 경우 또한 작은 단편들의 장난스러운 반복은 더욱 집요하고 강박적이고, 테크닉적으로 확장된다. 예를 들어 〈스케르초 2번〉 시작 부분에는 연주자가 건반에서 손가락을 가볍게 굴리듯이 여린(p) 셋잇단 음들이 나오다가 갑자기 쿵! 하는 저음과 두터운 화음들이 포르티시모(ff)로 등장한다. 피아니스트 아르투르 루빈스타인은 넓은 음역을 속주로 오르내리는 '묘기'와 같은 구간이 많은 쇼팽의 〈스케르초 1번〉을 '악마의 향연'이라 부르기도 했다.

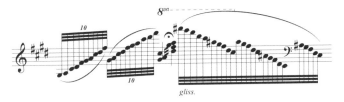

라벨, 〈물의 유희〉 중 글리산도 구간

12   1940년에 제작된 「환타지아」(Fantasia)는 클래식 음악을 애니메이션으로 해석하여 시각화했다는 측면에서 유례없는 실험성과 상상력을 선보인 작품으로 평가받는다. 수록된 곡들은 바흐의 〈토카타와 푸가〉, 차이콥스키의 〈호두까기 인형〉, 뒤카의 〈마법사의 제자〉, 스트라빈스키의 〈봄의 제전〉, 베토벤의 〈교향곡 제6번〉, 폰키엘리의 〈시간의 춤〉, 무소륵스키의 〈민둥산에서의 하룻밤〉, 슈베르트의 〈아베마리아〉 등이 있다(레오폴드 스토코프스키 지휘, 필라델피아 오케스트라 연주).

13   부를레스크(Burleske)는 독일어로 '익살극', '소극'을 뜻하며 형용사로 '익살스럽게'라는 의미도 갖고 있다.

14   글리산도(Glissando)는 서로 다른 음 사이를 연결하여 미끄러지듯이 연주하는 주법을 말한다.

하이든 소나타의 한 악장으로 시작되었던 '스케르초'는 이제 '스케르초 풍으로'(scherzando)라는 연주 표현에 관한 지시어가 된다. 이 말에는 농담, 장난, 판타지, 춤, 묘기 등의 유희적 요소가 전부 녹아들어 있다. 예를 들어 디즈니 애니메이션 영화 「환타지아」[12]에는 미키마우스가 스승이 잠시 집을 비운 틈을 타 스승의 마법을 흉내 내다가 곤경을 치르게 되는 에피소드가 나오는데 여기 붙는 코믹한 음악인 폴 뒤카의 〈마법사의 제자〉는 '스케르초 풍의 교향곡'이다. 어설프고 촐싹대는 마법사의 제자와 스케르초 풍의 조합이 썩 잘 어울린다.

뿐만 아니라 리하르트 슈트라우스의 〈틸 오일렌슈피겔의 유쾌한 장난〉 등 여러 교향시를 비롯해 스케르초와 유사한 성격의 〈부를레스크[13] 라단조〉와 같은 음악은 한계 없는 경쾌한 춤사위의 기교와 재기발랄함을 표현한다. 예컨대 장난꾸러기 틸의 성정을 묘사하는 우스꽝스런 악기 음색과 주법이 등장하는 부분에는 '생기 있게', '점점 더 활기 있게', '익살스러운'과 같은 악상 언어들이 나타나며, 템포는 매우 빠른 편에 속한다.

한편 라벨의 피아노 소품 〈물의 유희〉는 라벨이 실제로 07 다양한 물방울 소리에서 영감을 얻어 만든 곡으로, 물방울의 다이내믹한 운동성이 피아노로 구현된다. 이는 마치 잔잔한 호숫가에 돌멩이 하나가 파문을 일으켜 아르페지오(Arpeggio)나 글리산도[14]의 물결로 급속히 흘러내리거나 반동으로 생동

감 있게 튀어 오르는 등 매우 생기발랄한 운동감이 나타난다. 특히 32분음표-64분음표로 된 상승-하강 글리산도는 물방울의 운동을 마치 신체적 한계가 없는 무희의 춤사위처럼 유려하게 그려낸다. 어지러운 19세기 말의 도시 빈을 상징하는 세기말의 왈츠 〈라 발스〉의 경우에도 클라리넷의 7연음, 주제선율과 반주부의 3:4 리듬비 등 정형화된 왈츠의 3박을 끊임없이 아슬아슬하게 비껴가는 서커스와 같은 스릴을 통해 듣는 이에게 묘한 쾌감을 선사한다. 이러한 곡들에는 춤의 운동성이 극단적으로 확장되어 나타난다.

그 밖에도 청중의 예상을 비껴가며 웃음을 유발하는 유머가 있다. 극이 다 끝난 듯한 분위기를 조성하고는 괜히 한두 마디씩 쓸데없는 소리를 하며 퇴장하지 않는 코미디언처럼 '종지'를 들려준 후에도 음악이 찔끔거리며 나와 관객이 언제 박수를 쳐야 할지 당황하게 만드는 식이다. '농담'이라는 부제가 붙어 있는 하이든의 〈현악사중주 내림마장조, Op.33-2〉의 피날레 악장과 베토벤의 〈교향곡 9번〉 2악장 스케르초 마지막 부분에 이런 유머가 나타난다. 하이든의 〈현악사중주 내림

---

15   이탈리아어로 '기분전환'이라는 뜻의 디베르티멘토(divertimento)는 18세기 후반 오스트리아를 중심으로 성행했던 귀족들의 오락용 음악이다. 소나타나 교향곡에 비해 내용이 가볍고 쉬운 편이다.

마장조〉는 시종 '매우 빠르게' 가볍고 유쾌한 선율과 스타카토 반주로 진행된다. 그러다가 곡이 끝나려는 찰나 갑자기 템포가 '매우 느리게' 바뀌어 느릿느릿, 도중에 잠시 쉬는 구간까지 가지면서 찔끔거리며 종지가 이뤄진다. 끝난 줄 알고 관객이 박수를 치려고 할 때 갑자기 사중주단은 매우 여리게(**pp**)로 반쪽짜리 테마를 반복한다. 영화로 치면 오프닝 장면이 살짝 나오면서 진짜 끝이 나는 건데, 박수 칠 타이밍을 못 찾고 안절부절하던 청중들은 하이든의 유머에 결국 멋쩍은 실소를 터뜨리게 된다.

음악으로 개구쟁이처럼 짓궂은 장난을 치는 경우도 있다. 하이든은 〈교향곡 94번 '놀람'〉에서 처음에는 테마를 여리게(**p**), 반복 시에는 더욱 여리게(**pp**) 들려주다가 가볍게 마무리되어야 할 프레이즈 끝부분에서 느닷없이 총주(tutti)로 '매우 강하게'(**ff**)가 튀어나오게 해 음악회장에서 졸고 있는 귀부인들이 소스라쳐 깨어나도록 장난을 친다. 모차르트는 '음악적 농담'이라는 부제가 붙은 〈디베르티멘토[15] K.522〉에서 창의력 없는 작곡가들의 음악 어법을 흉내 내는 짓궂은 유머를 구사하는데, 예를 들면 관현악법에 서툰 작곡가처럼 일부러 호른에 삑사리를 내거나 바이올린 파트에 부적절한 음계를 사용하여 거슬리게 만드는 식이다. 주제에 대한 상투적인 전개, 음악의 균형과 조화의 부족을 흉내 낸 부분은 클래식 음악에서 '소

08 생상, 《동물의 사육제》 중 제4곡 '거북이'

나타란 이런 것', '클래식은 이런 것'이라는 어법에 익숙한 청중에게 통하는 유머 코드인데, 고전시대 기악음악에서 주제 발전이 일반적으로 어떻게 이뤄지는지에 대한 경험이 별로 없는 청중이라면 잘 알아듣지 못할 수 있는 음악적 유머이기도 하다.

　　마지막으로 사람들이 많이 아는 유명한 곡을 상황에 맞지 않게 인용하면서 웃기는 유머도 가능하다. 자크 오펜바흐의 오페레타 《천국과 지옥》 중 〈지옥의 갤럽〉에 나오는 유명한 캉캉 선율은 카미유 생상의 《동물의 사육제》에서 '거북이' 편 ₀8에 인용된다. 두 곡은 템포, 악기 음색, 셈여림 등 거의 모든 면에서 매우 대조적이다. 오펜바흐의 캉캉 선율은 트럼펫과 트롬본을 필두로 금관과 목관 악기들에 의해 '빠르게'로 신나고 힘차게 연주되는 반면, 생상의 거북이 선율은 현악기에 의해 작고 얇은 소리로 중저음역에서 '느리고 장엄하게'(Andante maestoso) 연주되어 활기와는 아주 거리가 멀다. 오펜바흐의 시종 즐겁고 유쾌한 오페레타에서 무희들이 울긋불긋한 치마를 올리며 격렬하게 추는 캉캉의 무대를 본 적이 있는 감상자라면 해변을 느릿느릿 기어가는 거북이와의 이 뜬금없는 조합에 피식 웃게 될지도 모른다.

　　교향곡 한 악장에 다른 작곡가들의 네 악장을 전부 넣은 분량만큼 길디긴 곡들을 써낸 말러는 선배 작곡가들의 선율은 물론 자신의 곡도 즐겨 인용했다. 예를 들어 자신의 가곡

〈물고기들에게 설교하는 파도바의 성 안토니오〉를 인용했을 때, 여기에는 비평가와 청중들에게 '왜 나의 예술적 시도를 알아주지 않나?' 하는 서운함과 냉소가 깃들어 있었다.

그러나 무엇보다 말러의 음악적 유희는 이질적인 것들을 마구 뒤섞는 데서 나타난다. 〈교향곡 4번〉 1악장은 엄숙한 이미지의 교향곡과 어울리지 않는 썰매방울(jingle bell) 소리로 시작되는데, 전해지는 얘기로는 말러 자신이 이것을 '유머'라고 표현했다고 한다. 말러는 또 오스트리아 시골 농부들의 춤곡인 '렌틀러 풍'의 구수한 선율도 교향곡에 종종 넣었는데, 예를 들면 〈교향곡 1번〉에서 오케스트라의 금관 파트들은 약음기를 끼고 싸구려 밴드의 천박하고 코믹한 브라스 트레몰로나 트릴을 흉내 내도록 한다. 1악장의 피날레 부분에서는 고전주의의 간결하고 고상한 '형식미' 따위는 잊은 듯, 맥락 없이 갑자기 트럼펫 솔로가 대담하게 난입하고 악기들이 여기저기서 목청을 높이며 자기 노래 하기 바빠, 총체적으로 아수라장과 같은 음향적 광경을 펼친다.

이질적인 요소들을 한데 뒤섞고 늘어놓는 말러의 '놀이'는 영화 「베니스에서의 죽음」(1971)의 마지막 해변가의 장면에도 삽입된 적 있는 말러의 〈교향곡 5번〉 4악장 '아다지에토'(Adagietto)의 로맨틱한 선율에서도 예외가 없다. 전통적인 교향곡의 서정성을 닮았다는 점에서 유일하게 거의 모든 비평가들이 훌륭하다고 평가했던 4악장의 고결한 선율은, 황당하게도 이어지는 5악장에서 가벼운 분위기의 에피소드처럼 바뀌어버린다.

'스케르초'가 삶을 심각하고 진중한 어조로 다루는 소나타 악장들 중 농담처럼 가벼운 하나의 악장으로 시작되어 묘기와 같은 춤의 확장, 혹은 뼈가 들어간 농담처럼 쌉싸름한 블랙 코미디, 판타지 등 여러 유희적 속성으로 진화했다면, 말러는 교향곡에서 상식이나 관습적 이디엄을 비트는 장난은 물론 동요, 가곡, 유명한 선율 등 온갖 것을 종횡무진 인용하고 짜깁기하며 바흐 푸가, 우아한 빈 왈츠와 싸구려 시골 밴드 음악을 한데 병치하는 등, 진정한 의미로 '스케르초 풍'을 내면화한 스타일을 만들어냈다고 할 수 있다. 서양음악의 엄숙하고 빛나는 전통을 함축한 '교향곡'의 자의식을 망각한 듯한 이러한 시도들은 사실 성역 없는 어린아이들의 놀이 방식과 다를 게 없다. 놀이에 푹 빠진 아이들은 자신의 가문이나 누구의 자손인가 따위에 관심이 없다. 값진 보석이나 길가의 돌멩이에 대해서도 차별이 없고, 그저 모든 게 놀이의 재료일 뿐이다. 비평가들은 말러가 새 교향곡을 발표할 때마다 악평을 해대기 바빴지만, 피에르 불레즈의 언급대로 말러는 장난감들을 해체한 후 완전히 다른 방식으로 재구성하여 새 장난감을 내놓은, 단지 음악으로 즐겁게 놀았던 작곡가일지도 모른다.

과도한 반복

영화에 가족이 모여 정답게 만찬을 나누는 장면이 나온다. 엄마는 많이들 먹으라며 주방에서 맛있는 갈비찜을 가져와 식탁에 놓고 가족들은 맛있게 먹는다. 배가 부른 가족들은 하나둘 젓가락을 내려놓기 시작한다. 여기까지는 참 훈훈하다. 그런데 엄마는 자꾸만 더 먹어보라며 새로운 갈비찜을 내오고, 가족들은 점점 갈비찜을 보기만 해도 토할 지경이 된다. 만약 엄마가 변함없이 상냥한 얼굴로 주방에서 끝없이 갈비찜을 가져와 가족에게 먹이려고 한다면 어떨까? 따스한 가족 드라마가 스릴러로 바뀌는 건 순간이다.

도가 지나치면 기괴해지는 건 음악에서도 마찬가지다. 일반적으로 음악에서는 '세 번쯤', 아무리 많아도 '네 번쯤' 반복하면 다른 내용으로 넘어가는 게 일반적이다. 이런 경우에도 똑같은 반복이 아니라 선율이나 화음, 혹은 다이내믹이나 프레이즈 등 뭔가 조금이라도 변하면서 어딘가를 향해 전개되는 가운데 반복된다. 그러니 춤곡의 속성을 바탕으로 하는 유희의 언어에서 단편들의 반복은 당연한 것이지만, 만약 변화 없는 반복이 과잉으로 나타난다면 이것은 음악에 있어 의도된 '광기'의 표현일 수 있다.

오페라의 창시자로 불리는 르네상스 후기 작곡가 클라우디오 몬테베르디는 등장인물 각각의 성격이나 극의 분위기를 묘사하기 위해 어떤 음악 언어를 구사할지 고민했던 거의 최초의 작곡가였다. 그의 마드리갈 작품집에 수록된 〈님프의 탄식〉(1608) 중 님프가 갑자기 떠나버린 연인에 대한 기억을 떠올리며 한숨 쉬는 부분에선 탄식저음(A-G-F-E)이 서른두 ⁰⁹ 번이나 반복된다. 연인에 대한 기억에 고착된 채 그 회로를 벗어나지 못하는 님프의 강박 증상은 이와 같은 고집저음을 통해 음악으로 그려진다(앞에서 여왕 디도가 자결하기 전, 그리고 그리스도의 십자가 장면에서 탄식저음이 아홉 번, 열세 번 반복되었는데, 여기서도 고집저음이 나온다). 헨델 역시 오라토리오 〈사울〉(1738)에서 '사울은 천천이요 다윗은 만만이라'며 백성의 인기를 얻은 다윗에 대한 사울의 시기 혹은 광기를 노래하는 합창 음악에 고집저음을 사용한다. 떠나간 연인에 대한 집착 뿐 아니라 이처럼 지나친 시기질투의 감정도 일종의 광기로 볼 수 있을 것이다.

음악에서의 '과도한 반복'이라는 제스처는 19세기 낭만주의 시대 표제음악(구체적인 제목이 붙어 있는 음악) 중 '악마', '죽음' 또는 '춤'과 관련지어서 자주 등장한다. 대표적인 것이 한밤중 무덤에서 일어난 해골들의 기괴한 춤을 음악으로 묘사한 생상의 〈죽음의 무도〉이다. 테마 선율은 프레이즈가 마치 ¹⁰ 기 전까지 여섯 마디 동안 좁은 음정 안에 갇혀 악보와 같이 맴도는 형태로 나타난다. 이 곡은 갈수록 점점 거대해지는데, 뒷

09　　몬테베르디, 〈님프의 탄식〉 중 탄식저음

10　　생상, 〈죽음의 무도〉 테마

16　　수잔 맥클래리, 『페미닌 엔딩』(예솔, 2017), 4장 「과잉과 틀: 광녀의 음악적 재현」, 215–282쪽.

부분에서는 특히 타악기들이 합류해 불가항력적인 소용돌이에 휘말려 들어가는 듯한 분위기를 자아낸다.

이처럼 서양음악에서 '반복'은 (3부 '수사와 이야기로 읽기'에서 자세히 다루겠지만) 그냥 할 말이 없어서 하는 것이 아니라 저마다 뚜렷한 용도가 있다. 보통은 하나의 주제로 글을 쓸 때 통일성을 위해, 또는 무언가를 강조할 목적으로 반복을 한다. 그런데 여기서 말하는 음악의 반복 제스처는 이러한 합리적인 목적보다는 앞서 언급한 광인의 중얼거리는 듯한 반복이다. 우리는 직접 들어보면 누구나 이것이 목적이 있는 연사의 언변인지, 아니면 광인의 맥락 없는 끝없는 중얼거림인지 뉘앙스의 차이를 구분할 수 있다.

기교적 과잉

'반복'이 그러했듯, 기교 자체가 곧 광기는 아니다. 그러나 과도한 기교는 오페라나 여러 음악극에서 광인 캐릭터들이 구사하는 전유물 같은 것이다. 음악학자 수잔 맥클래리는 서양음악사에서 특히 오페라에 나오는 유명한 광녀들의 아리아를 토대로, '광기'의 음악 언어가 어떤 식으로 표현되는지를 연구했다.[16] 대표적인 인물이 가에타노 도니체티의 오페라《람메르무어의 루치아》의 광녀 '루치아'이다. 이 오페라에서는 주인공 루치아가 자신의 진심을 연인에게 오해받자 절망한 나머지 침실에서 남편을 살해하고 자신도 자결하는 광기의 극치를 보여주는 '광란의 장면'이 가장 유명한데, 여기 나오는 아리아 〈쓰디쓴 눈물을 흩뿌리며〉라는 아리아에서 그녀는 장식음을 과도하게 사용하거나 화려한 카덴차로 과잉된 기교를 보여준다. 루치아뿐 아니라 음악극이나 오페라에서 광기의 기질이 있는 '악녀' 캐릭터들은 공통적으로 수사학적 테크닉에 해당하는 미사여구법을 천재적으로 구사한다. 몬테베르디의 《오르페오》에 나오는 하데스의 아내, 모차르트의 《마술피리》에 나오는 밤의 여왕, 비제의 《카르멘》에 나오는 카르멘, 베르디의 《맥베드》에 나오는 레이디 맥베드가 그러하다. 작곡가들이 이처럼 유독 정신이 온전치 못하거나 사회적 윤리를 무시하는 악인 캐릭터에 기교적으로 가장 훌륭한 테크닉을 구사하도록 했다는 사실은 음악에서 화려한 기교는 좋지 못하다는 인식(교회에서 악기 사용이 금지된 이유이기도 했던)이 서양인들의 뇌리에 오래도록 박혀 있었음을 말해준다. 따라서 음악으로 이런저런 실험을 해보고 싶었던 작곡가들은 일종의 음악적 도발이라 할 수 있는 비르투오소적 기교를 조심스럽게 이런 캐릭터들을 통해 시도하곤 했다.

가장 훌륭한 테크닉을 낯설고 위험해 보이는 존재들에게 부여하는 관습은 오늘날에도 면면히 이어진다. 클래식뿐 아니라 오늘날 유명한 뮤지컬 「오페라의 유령」에 등장하는 팬텀

은 음악 천재이지만 일종의 '괴물'같은 미스터리한 존재로 등장한다. 또 뤽 베송의 영화 「제5원소」(1997)에서 파란 피부를 가진 외계인 디바는 인간의 목소리로는 불가능한 음역을 자유롭게 넘나들며 화려한 아리아를 선보인다. 외계인 디바의 아^[11]리아는 모차르트의 《마술피리》 중 가장 유명한 밤의 여왕 아^[12]리아를 흉내 낸 것으로, 두 곡 모두 소프라노의 최고음(높은 '라')을 훨씬 넘어서는 멜로디로 되어 있다. 뿐만 아니라 무려 12도(한 옥타브가 8도이다)나 되는 간격을 아무렇지 않게 훌쩍 도약하고, 빠른 16분음표들로 된 프레이즈를 아주 기민하게 노래하는 걸 들을 수 있는데, 마치 바이올린이나 클라리넷 등의 악기 기교에 사람의 목소리가 도전하는 것처럼 들릴 정도다.

그 밖에도 파가니니의 바이올린 소나타, 리스트의 연습곡, 라흐마니노프의 피아노 협주곡 등 기술적으로 상당히 어려운 구간들에서 우리는 종종 '과잉 기교를 뽐내는' 음악적 광기의 제스처들을 쉽게 발견할 수 있다. 리스트는 '악마의 바이올리니스트'라는 별명으로 불리던 파가니니의 연주를 듣고는 자신은 피아노의 파가니니가 되겠노라 결심하고 파가니니의 주제에 의한 '초절기교 연습곡' 여섯 곡을 작곡하는데, 그중 가장 유명한 〈라 캄파넬라〉는 오른손이 두 옥타브를 빠른 템포로 쉴 새 없이 넘나들어 연주자들의 손가락이 보이지 않을 지

II 영화 「제5원소」 중 디바의 아리아

I2 모차르트, 《마술피리》 중 밤의 여왕 아리아
〈지옥의 복수가 내 맘을 불타게 하네〉

경이다. 실제로 리스트는 두 옥타브 가까운 음역을 커버할 수 있는 큰 손을 가지고 있었고, 파가니니는 손등 뒤로 엄지와 새끼손가락이 닿을 정도로 손가락 관절이 유연했다고 한다. 신체적 조건이 탁월했던 작곡가들의 작품은 연주가 매우 어려운 것으로 정평이 나 있다. 라흐마니노프의 피아노협주곡들 역시 엄청난 기교와 인내를 요한다. 익히 알려진 대로 〈피아노협주곡 3번〉은 연주자들 사이에서 '매머드'로 불리며, 〈피아노협주곡 2번〉 1악장 도입부는 넓은 음역을 아우르는 아르페지오로만 수십 마디 진행되고, 넓은 음역에 걸쳐진 두터운 화음들을 최대 속도로 연주해야 하는 패시지들이 종종 등장한다. 대단원의 막을 내리는 피날레 악장은 이미 30분 이상을 숨 가쁘게 달려온 연주자에게 마지막 스퍼트를 더 끌어올릴 것을 요하고 있어, 리허설 때 피아니스트가 손목 보호대를 차고 연주하는 모습도 볼 수 있다.

이렇듯 기악음악의 급부상, 극도의 기교를 소화해내는 스타 연주자들의 출현, 그리고 (가사 없는) 기악음악만이 진정한 음악이라고 여긴 쇼펜하우어와 같은 철학자가 있었는가 하면, 헤겔은 여전히 장인적 기교성(즉 예술이 자기 자신에 몰두하는 것)을 '예술 종말론'과 연계시킬 정도로 매우 부정적으로 바라보았다.

줄 끊어진 그네처럼 구심점을 잃어버린 반복의 과잉 및

13 비제의 오페라 《카르멘》 속 두 여주인공들의 아리아 선율

기교의 과잉은 종종 자신의 감정을 절제하지 못하고 과시하는 '악마의 감정'이 지닌 속성으로 간주되어 '동양'과 '악마'라는 음악-그림의 저변에 이러한 유희와 광기의 언어가 수없이 많이 사용되기도 했다(이는 2부에서 더 자세히 다룰 것이다).

반음의 에토스

피아노의 한 옥타브에는 흰 건반 일곱 개와 검은 건반 다섯 개, 총 열두 개의 건반이 들어 있다. 이 열두 개의 건반을 이용해 마음껏 선율을 작곡해보라고 했을 때, 흰 건반만 사용할 수도 있고 검은 건반까지 골고루 사용할 수도 있다. 주로 흰 건반들로만 된 선율을 '온음계적인 선율'이라 하고, 검은 건반을 많이 섞어 쓰면 '반음계적인 선율'이라 부른다.

이 두 가지 스타일의 선율은 귀로 들었을 때 매우 다른 분위기를 풍긴다. 다음 악보는 오페라 《카르멘》에 나오는 카르멘과 미카엘라의 아리아 일부이다. 이 두 선율을 듣고 과연 어느 쪽이 호세의 마음을 사로잡은 '관능적인 카르멘'이고 '순진한 시골 처녀 미카엘라'인지 추측해보자. 아마 별로 어렵지 않을 것이다.

그렇다. 온음계로 된 위의 선율이 미카엘라, 반음계로 된 아래의 선율이 카르멘이다. 일단 카르멘의 〈아바네라〉

(Habanera) 선율은 흰 건반과 검은 건반이 번갈아 등장하면서 처음부터 끝까지 '반음' 과잉으로 점철되어 있다. 리듬도 강박에는 쉼표가 나오고 약박인 두 번째 박에서 슬쩍 시작되어 '정박자'의 틈바구니로 구렁이 담 넘듯이 미끄러진다. 반면 호세의 약혼녀이자 순진무구한 시골 처녀 미카엘라의 아리아에는 반음이 거의 없다. 주로 온음계의 평이한 선율과 9/8박의 정형적인 리듬으로 되어 있어 음악적으로 긴장을 유발하는 요소가 전무하다.

온음계 선율과 반음계 선율의 대조적인 이미지는 이처럼 오페라 아리아에서 작곡가들이 어떤 캐릭터를 어떤 선율에 매칭했는지를 보면 극명하게 드러난다. 모차르트의 오페라《돈 조반니》에서 체를리나를 비롯해 돈 조반니에게 유혹당하는 여러 순박한 시골 처녀들의 노래들 역시 온음계적인 선율과 단순

17 　막스 베버, 『음악사회학』(민음사, 1993), 32쪽. 아래 표에서 확인할 수 있듯, 5음음계는 고대로부터 기초적 음계로 알려신 테트라코르디오(tetracordio) 두 개(도-파, 솔-도)를 이접한 후 '반음'을 전부 제거할 때 도출되는 음계이다.

테트라코르디오 1				테트라코르디오 2			
도	레	미	파	솔	라	시	도
○	○	○	×	○	○	×	○

한 리듬으로 되어 있는 반면, 로시니의 오페라《이탈리아의 터키인》에서 술과 여자를 밝히는 터키 왕자 셀림은 아름다운 이탈리아 유부녀 피오릴라를 유혹하기 위해 반음계적인 선율과 화려한 리듬으로 노래한다.

온음과 반음이 뭐 그리 큰 차이가 있을까 싶을 수도 있지만 확실히 선율에 반음이 많이 들어가면 음악이 더 달콤하고, 자극적이고, 멜랑콜리해진다. 이것은 주관적인 느낌이 아니다. 적어도 카르멘과 미카엘라 선율을 노래만 듣고 바로 구별해낼 수 있는 사람이라면 반음의 자극적인 표현성을 부지불식중에 인지하고 있는 것이다. 반면 5음음계(pentatonic scale, 도레미솔라)로 만들어진〈아리랑〉,〈한오백년〉같은 우리나라 전통음악을 들어보면 장/단조 음악에 비해 어딘가 투박하고 세련되지 못하게 들린다. 이 음계의 특징은 '미-파' '시-도'와 같은 반음이 없다는 것이다.

사회학자 막스 베버는 동·서양 할 것 없이 민속음악에 5음음계가 수없이 발견되는 것은 우연이 아니라고 본다.[17] 그는 유교 문화권인 중국을 비롯해 보수적인 사회일수록 5음음계의 사용이 두드러지는 반면, 그렇지 않은 문화권에서는 선율에 반음(혹은 그보다 미분화된 음들)이 거리낌 없이 쓰이고 있는 점에 주목했다. 즉 (반음을 몰라서가 아니라) 에토스[18]의 문제와 관련하여 의도적으로 반음을 배제했다는 얘기이다.

고대 그리스는 나름의 이론에 근거한 그리스 선법을 사용했고 온음보다는 반음이, 반음보다 더 좁은 간격으로 된 음(미분음)이 더 세련되다는 사실을 알고 있었으나[19] 실제 음악

18   '에토스'(ethos)는 '개인의 윤리적 특성' 또는 '존재 및 행동의 방식'을 가리키는 그리스어로(후에 '윤리학'으로 발전하게 된다), 흔히 생각하는 도덕이나 윤리보다는 개인의 지속적인 성격, 태도, 습성 따위와 관련되어 있다. 음악이 각각 인간의 어떠한 에토스를 모방하고 있어 듣는 이의 성정에 선하거나 악한 영향을 끼친다고 믿었던 대표적인 이들은 고대 그리스의 철학자 플라톤과 아리스토텔레스이다. 플라톤은 『국가』에서 젊은 이들의 성정을 굳세게 하기 위해 프리지아 선법을 들려주어야 하며, 반대로 사람을 나약하게 만드는 도리아 선법은 교육상 좋지 못하다고 언급했으며, 아리스토텔레스는 자신의 저서 『정치학』에서 "멜로디들은 그 자체에 에토스의 모방을 포함한다"면서 믹소리디아 선법은 사람을 슬프고 엄숙하게, 도리아 선법은 온화하고 안정되게, 프리지아 선법은 열정을 촉발한다고 썼다(단 당시의 그리스 선법 명칭들과 음 구성은 중세 교회선법이나 오늘날 사용하는 선법과는 다르다).

19   고대 그리스는 제누스(genus, 종류)에 따라 테트라코르디오를 온음계, 반음계, 이명동음(enharmonic) 음계로 분류했는데, 온음보다는 반음, 반음보다는 더 미분화된 음 간격의 선율을 더 세련되고 듣기 어려운 것으로 여겼다.

20   철학자 플라톤은 이러한 이유로 아울로스가 듣는 이의 정서에 좋지 못하다고 판단했다. 아울로스는 5세기 무렵 역사 속으로 사라지게 된다.

21   무지카 픽타(Musica Ficta)는 11세기경 이탈리아의 수도사 귀도 다 레초가 성가대에게 되바라진 'b음'의 소리(삼전음)를 조금 더 둥글게 혹은 날카롭게 낼 것을 요구했던 것에서 유래했다. 무지카 픽타는 초기에는 보다 확실하고 인상적인 종지를 위해서 제한적으로만 사용되었다.

에 있어 미분음은 이론으로만 남겨두고 상용화하지 않았다. 뿐만 아니라 목관 악기 아울로스(Aulos, 오보에의 전신)는 미끄러지는 음들(비합리적인 음들)을 자유롭게 낼 수 있다는 점 때문에 합리적인 음들로만 조율할 수 있는 키타라(Kithara)와 같은 악기가 태양의 신 아폴론에 비유된 것과는 반대로 유흥과 쾌락의 신으로 알려진 디오니소스의 악기로 간주되고 배척되었다.[20]

확실한 건 문명사회에서는 어떠한 음들을 취사선택해 선율을 만들 것인지에 대해 나름의 엄격한 기준이 있고 '반음'(나아가 '미분음')을 사용하는 것을 조심스러워했다는 것이다. 그렇다면 고대 사회들이 지향한 에토스는 과연 무엇이었을까? 기독교의 에토스는 신 앞에 피조물로서의 겸손과 순종, 고대 그리스의 에토스는 좋은 군사에 어울리는 굳센 성정이다. 그렇다면 이에 반하는 것은 나약하거나 방탕한 성정, 혹은 도드라진 자기 중심성 같은 것이 아니었을까?

각 사회의 에토스를 하나로 규정할 수는 없겠지만, 확실한 건 시간이 흐르면서 선율 안에 반음의 사용이 점점 늘어나기 시작했다는 것이다. 유럽의 경우 전쟁, 기아, 전염병 등 아수라장 속에 교회의 영향력이 약해지면서 '반음'들(검은 건반들)을 향한 시도가 일어났는데, 이것은 '무지카 픽타', 즉 '가상의 음'이라는 뜻을 가진 임시 기호들의 사용으로 나타났다.[21]

무지카 픽타를 사용한 인위적인 반음 사용은 점점 더 많아졌고, 그것이 바로 오늘날의 샤프(♯)와 플랫(♭)의 기원이다.

15세기 르네상스 무렵이 되면 작곡가들이 선율에 '반음'을 넣는 일은 매우 흔해진다. 당시 엄청나게 유행한 마드리갈[22]에서 슬픔이나 고통, 비극의 어법으로 사용될 뿐 아니라 '부드럽고 겸손하고 천사 같은 얼굴'과 같은 밝은 가사에도 반음이 사용되는데, 즉 반음은 가사가 긍정적인지 부정적인지와 상관없이 농도 높은 '표현'의 일환이 된다.

반음계 선율의 표현성이 잠시 부정된 시기도 있었다. 바로 하이든-모차르트-베토벤이 활동한 고전시대이다. 이들이 작곡한 소나타 형식 같은 음악은 반음의 강력한 속성을 과거 어느 시대보다 핵심적으로 이용해 스펙터클을 만들어냈다.[23] 그러나 '음악이 ~를 향해 전개된다', '~화음으로의 해결을 요한다'는 식의 건조한 문법적 장치로만 설명하려 할 뿐, 반음의

---

22 마드리갈(Madrigal)은 14세기 생겨난 무반주의 2성 혹은 3성의 노래곡으로 주로 사랑을 주제로 한 가사가 많다. 특히 가사에 나오는 단어들을 음악으로 직접 묘사하는 마드리갈리즘(madrigalism) 기법은 르네상스 후기에 최고조에 이르렀다가 이후 바로크 시대 칸타타에서 극의 내용을 묘사하거나 오페라의 아리아처럼 감정을 표현할 목적의 음악으로 이어진다.

23 「용어 설명」 '4. 장음계와 조성' 참고.

정서적 표현성에 대해서는 (적어도 겉으로는) 전혀 거론하려 들지 않는다.

　　그러나 고전시대를 지나 슈베르트, 슈만, 쇼팽, 바그너, 리스트 등이 활동한 19세기 낭만시대에 접어들면 작곡가들은 다시 음악의 정서적 표현 욕구를 노골적으로 발산하기 시작한다. 특히 고전시대를 거치면서 '반음이 가진 표현적 힘'을 어느 때보다 확실히 인지하게 된 낭만주의 작곡가들은 당시에 유행한 어둡고 퇴폐적인 주제들을 음악으로 가져오면서 반음이 지닌 힘을 구체적인 이미지들과 연결 짓게 된다. 즉 반음의 과잉은 오페라에서 창녀, 광녀, 호색가의 에로티시즘의 언어이자, 표제음악에서는 주로 악마와 관련된 유희와 광기의 언어로 쓰이게 된다.

고통과 공포

불협화음

우리는 '불협화음'이라는 단어를 일상에서 많이 접한다. '금융 당국, 정책 시행 전부터 불협화음', '북미 간 불협화음을 해결하기 위한 조치' 등 정치·경제·사회 기사 곳곳에서 불협화음이라는 단어를 쉽게 찾아볼 수 있다. 기사에서 드러나는 부정적인 뉘앙스에서 짐작할 수 있듯이 원래 음악 용어인 불협화음(dissonance)은 클래식 용어사전에 따르면 '조화가 맞지 않는

24　「용어 설명」 '2. 피타고라스 음율, 순정률, 평균율' 참고.

25　대표적으로 9세기경에 등장한 작자미상의 음악 입문서 『무지카 엔키리아디스』(*musica enchiriadis*)와 그 주석서인 『스콜리카 엔키리아디스』(*scolica enchiriadis*). 고대 그리스의 협화음정과 불협화음정에 대한 이론을 반영하고 있다.

음과 그 울림'을 뜻한다. 작곡가들이 오래전부터 '고통'이나 '공포'와 관련된 감정을 나타내기 위해 사용한 음악 재료가 바로 '불협화음'이다.

그렇다면 불협화음은 어떤 소리를 가리키는 걸까? 교회 성가대에서 화음이 안 맞거나 누군가 음정을 못 맞추면 얼굴이 절로 찌푸려지는, 대충 그런 것이 불협화음 아닐까 생각하기 쉽다. 그러나 불협화음이 무엇인가 하는 문제는 사실 그리 간단하지 않다. 우리의 감각은 귀, 합리성, 심리, 역사 등등과 관련되어 매우 복잡한 과정을 통해 음들이 얼마나 조화로운지를 판단하는데, 그마저도 시대와 장소에 따라 정확히 일치하지 않기 때문이다.

서양음악사에서 협화-불협화의 개념을 제일 처음 논한 사람은 기원전 6세기경 그리스의 철학자 피타고라스이다. 그는 두 음이 울릴 때 그 진동수들 간에 간단한 정수비가 성립할수록 맥놀이 없이 서로 깨끗하게 울린다는 사실을 발견했다.[24] 오랫동안 이론으로만 머물러 있던 그리스의 협-불협의 개념이 실제 음악에 적용되기 시작한 것은 9세기 무렵 중세 교회가 오르가눔을 사용하면서부터다. 오르가눔(Organum)은 그레고리오 성가의 선율 아래나 위에 일정한 간격으로 나란히 움직이는 화음 진행을 가리킨다(병행 오르가눔, Parallel Organum). 이것은 당시의 지침서들[25]을 토대로 성가 선율과 조화되는(협

14

15

Tu   Pa - tris   sem - pi - ter - nus   es   Fi - li - us

<u>14</u>   중세 초기, 병행 오르가눔 성가

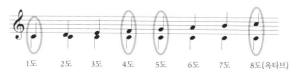

1도   2도   3도   4도   5도   6도   7도   8도(옥타브)

<u>15</u>   중세 지침서들이 규정한 협화음정과 불협화음정

6   -   6   6   6   6   6

<u>16</u>   조스캥, 〈주 홀로 놀라운 일을 행하시고〉에 나타나는 포부르동

26   3도 및 6도 음정을 품은 화음(6화음, 악보에 '6'으로 표기된 화음)이 연달아 나오는 화음 진행을 말한다. 이것은 당시에 불어로 '잘못된 반주'라는 의미의 포부르동(faux-bourdon)이라 불리웠다.

화한) 음정을 택해 두 성부가 병행하도록 한 것으로, 8도(옥타브), 5도, 4도 병행이 허용된 반면 불협음정으로 규정된 2, 3, 6, 7도는 허용되지 않았다.

음정에 대한 견고한 빗장은 중세가 끝나갈 12-13세기경 풀리기 시작했다. 영국의 예배음악에 중세 교회가 불협하다고 규정해온 '6도'와 '3도'가 등장하는 일이 잦아졌고 이러한 관습은 서유럽 전역에 퍼지게 된다. 나아가 프랑스의 작곡가 조스캥은 그의 모테트 〈주 홀로 놀라운 일을 행하시고〉(1503) 중 '내가 당신께 탄원하오니 우리의 간구함을 들으셔서'와 같은 가사 부분에 기도자들의 나약하고 불안정한 심경을 표현할 목적으로 악보와 같이 연속적인 6화음 진행(포부르동)[26]을 쓰게 된다. 16

조스캥의 이 모테트는 졸탄 슈피란델리 감독의 영화 「신과 함께 가라」에서 이른 아침 기도를 드리는 수도사들의 노래로 등장하기도 했다. 그러나 이 영화에서 매우 인상적인 장면 중 하나인 이 수도사들의 노래는 우리의 귀에 불안정하기는커녕 한없이 감미롭게만 들린다는 것이 아이러니이다. 어쩌면 우리가 조스캥 시대 사람으로 다시 태어나지 않는 이상 이 노래에서 기도자의 고통스러운 심경 표현을 당시의 감상자들만큼 느끼기란 거의 불가능할 것이다.

시간이 흐르면 불협 음향은 조금 더 나아간다. 예를 들

몬테베르디, 〈무정한 아마릴리〉 중 7도, 9도를 품고 있는 불협화음

바흐, 〈오 주여, 우리의 통치자여〉의 첫 두 마디에 나오는 불협화음들.
단2도나 감5도(삼전음) 등, 이전보다 더 불협한 음정들이 쓰이고 있다.

면 몬테베르디의 마드리갈 5집에 실려 있는 〈무정한 아마릴리〉
(1605)에서 '무정한' 혹은 '아!' 하는 한탄이 나오는 가사 부분
에서 작곡가는 엄격한 대위 규칙을 의도적으로 어기면서 불협
한 소리를 만들어낸다. 이것은 앞서 조스캥이 사용했던 불안정
한 구간(6화음 연속)과 달리 7도, 9도 등의 거친 음정들이 노골
적으로 드러나 있어 조금은 더 납득할 만하나, 여전히 오늘날
우리 귀에는 그 파격성이 잘 와 닿지 않는다.

　　신앙적 이유로 불협음정을 배제했던 중세 오르가눔 시
절부터, 불안이나 고통, 두려움과 같은 감정을 묘사하기 위해
불협화음을 의도적으로 사용한 르네상스까지, 700-800년이
라는 적지 않은 시간이 걸렸다. 그러나 이후 고통을 담는 재료
로서의 불협화음이 오늘날 기계 소음 수준에 도달하는 데에는
그 절반의 시간 밖에 걸리지 않는다.

　　바흐는 《요한수난곡》(1724)에서 비로소 요즘 우리가
어느 정도 체감할 수 있는 수준의 불협화음을 사용한다. 이 수
난곡은 십자가 고난을 통해 하나님의 아들임을 드러내는 그리
스도의 운명을 드라마틱하게 그려낸 작품으로, 성 토마스 교회
에서 초연할 당시 성도들을 공포에 질리게 했다고 전해진다. 아
마도 첫 곡 〈오 주여, 우리의 통치자여〉의 첫 두 마디를 들었을
때부터 슬슬 공포심이 올라오지 않았을까? 어딘가 불길한 예
감을 주는 전주부를 지나 합창단의 "주여!" 하는 강력한 부르

짓음으로 시작되는 이 곡은 끝날 때까지 팽팽한 긴장감이 감돈다. 이는 여러 불협화음정이 오랫동안 해결되지 않으면서 긴장을 유발하고, 협화로 해결이 될 즈음 다시 다른 성부에서 바통을 이어받아 끊임없이 불협화음을 형성하는 데서 비롯된다.

위의 날카로운 소리에 이어, 중세 시대에 매우 기피되었

27　삼전음(三全音, tritone)은 온음을 세 번 쌓아 올린 음이라는 뜻으로, 음정으로는 증4도(혹은 감5도)를 지칭한다.

28　막스 베버에 따르면 삼전음이 중세 교회에서 엄격하게 금지된 이유는 아직까지 충분히 밝혀지지 않았다. 다만 옥타브를 4도와 5도로 분할하는 대부분의 문화권에서와 마찬가지로, 증4도의 애매한 음정이 음 체계를 교란한다거나, 노래 부르기 어려운 음정이라서, 혹은 온음과 반음을 적절히 교대로 사용하는 음체계에 익숙한 사람들에게 온음만 연속으로 세 번 나오는 삼전음이 '거칠게' 감각되었기 때문이라는 등 여러 주장이 있다. 그러나 오히려 중세 초기에는 증4도를 특징음으로 갖는 리디아 선법이 그레고리오 성가에도 등장하며, 교회의 지배가 비교적 약했던 곳에서는 삼전음 금기가 잘 지켜지지 않았고, 고대 그리스 선율에서도 삼전음이 직접적으로 사용되었던 것으로 보아 막스 베버는 근본적인(음향적) 이유보다는 대체로 기독교와 관련된 종교적 영향 때문인 것으로 보고 있다(막스 베버, 『음악사회학』, 101-102쪽).

29　2부 '색채, 마법'에 나오는 균등분할음계 참고.

30　증3화음은 장3도를 두 번 쌓은 화음이다.

던 삼전음[27]을 품은 화음이 등장한다. 삼전음은 중세기 때 '디아볼로스 인 무지카'(diabulos in musica), 즉 '음악 속 악마' 또는 '중세 시대 모든 악하고 추한 것의 표본'으로 불리울 만큼 오랫동안 서양음악에서 터부시되어온 소리이다.[28] 실제로《요한 수난곡》의 전주부에만 감화음(diminished chord)이 열 차례 이상 등장하며, 삼전음을 두 개나 품은 감7화음은 이 곡에서 종종 세 번 이상 연속으로 등장한다. 불협화음들이 협화음으로 해결되나 싶으면 한 음이 살짝 움직여 다음 불협화음으로 계속 이어나가는 식으로, 아마 당시의 성도들은 이 첫 곡을 듣는 순간 숨 돌릴 틈 없는 긴장과 공포를 느꼈을 것이다(물론, 이 정도의 불협화음이 오늘날 우리를 공포에 빠뜨리지는 못한다).

바흐로부터 다시 한 세기를 건너 낭만주의 시대로 오면 문학, 미술 등 여러 분야의 예술과 결합하는 시대적 특성상 그 어느 때보다 화음이 '표현'을 위한 도구로서 중요하게 다뤄진다. 특히 '고뇌하는 우울한 영웅'이나 '춤추는 악마' 따위와 관련된 표제음악들에서 바흐가 썼던 감화음 정도는 아무렇지도 않게 수없이 쓰인다. 그중에서도 19세기에 유독 사용이 두드러지는 것은 옥타브를 균등하게 분할한 음계[29]에서 나온 화음들로, 대표적인 것이 '증화음'(augmented chord)이다.[30] 감화음과 마찬가지로 증화음 역시 오늘날 자주 사용되는 화음이지

리스트,《파우스트 교향곡》중
파우스트 박사의 테마 선율이 품은 증3화음

31　20세기 초 독일의 작곡가 쇤베르크는 조성음악의 으뜸음 개념을 배제하기 위해 한 옥타브 내의 열두 음의 조합이나 사용 빈도 등을 철저히 통제하여 전통적인 으뜸음 중심의 조성성을 배제하는 12음 기법을 창안했다.

32　쇤베르크의 이러한 주장은 '불협화음의 해방'이라는 개념으로 불린다(홍정수·오희숙, 『음악미학』[음악세계, 2016]).

만 19세기까지는 그렇지 않았다. 증화음은 리스트의 《파우스
트 교향곡》(1854)에서 방대한 양의 지식을 갖고도 늘 우울한,
그래서 자살을 시도하려는 파우스트 박사의 테마 선율에 들어
있다. 이러한 균등분할 화음이 연속으로 등장할 경우 듣는 이
들은 종종 조(key)에 관한 감각을 상실하게 된다. 따라서 증화
음과 같이 균등분할 음계에서 도출된 음향은 신비롭거나 막연
한 두려움을 음악에 담는 데 효과적으로 사용된다.

　　20세기 초, 드디어 이게 과연 화음인가 싶을 정도의 불
협화음이 등장한다. 바로 작곡가 아르놀트 쇤베르크가 12음
기법[31]을 적용한 〈공중정원의 책〉(1909), 〈달에 홀린 피에로〉
(1912), 〈피아노 모음곡 Op.25〉(1923) 등에 나오는 화음들이
다. 이러한 음렬음악에서는 (중세 교회가 조화로운 화음만 사
용하려 했던 것과는 정반대로) 불협화음으로 점철된 소리가
나는 것이 원칙이다. 사람들은 지금까지도 이러한 음렬음악을
듣기 어려워하지만 쇤베르크는 화음은 '익숙함'의 문제인 만큼
'불협화음'이 따로 있지 않다고 주장했다.[32] 나아가 쇤베르크의
음렬음악이 내는 극도로 불협한 소리를 매우 '시의적절하다'며
칭송하는 아도르노 같은 음악학자도 있었다. 그는 불협화음이
감정 표현을 위해 곁들여지는 수준이 아닌, 처음부터 끝까지
협화음이라곤 전혀 나오지 않는 음악이야말로 시대의 어두움
에 눈 감은 채 경쾌하기만 한 빈의 왈츠보다 정직하게 자기 시

　프로코피예프,《로미오와 줄리엣》중
〈몬테규와 캐플릿 가〉 도입부의 불협화음(클러스터)

33　아도르노는 『신음악의 철학』(*Philosophie der neuen Musik*, 1949)에서 3화음은 낡아서가 아니라 '거짓되기 때문에' 더 이상 사용할 수 없는 소음인 반면 불협화음은 오히려 소음이 아니라고 주장한다.

대를 직면하는 예술이라고 칭송했다.[33]

　　음악계의 '악동'으로 불리던 러시아의 작곡가 프로코피예프 역시 쇤베르크와 비슷한 불협화음을 선보인다. 그의 표제작품들 중 하나인 발레 모음곡《로미오와 줄리엣》(1936) 중 〈몬테규와 캐플릿 가〉맨 앞에는 오랫동안 원수진 두 가문 사이에 '전쟁'을 선포하는 듯한 두 개의 거대한 불협화음들이 여러 마디에 걸쳐 지속된다. 악보를 보면 13-15개 남짓한 음들이 수직으로 마구 쌓여 있다. 이런 형태는 화음이라기보다 포도송이처럼 음들이 뭉쳐진 클러스터(cluster, 음 송이)에 가깝다. 뿐만 아니라 그는 2차 세계대전 무렵 '전쟁'을 주제로 피아노 소나타 세 곡(6, 7, 8번)을 작곡했는데, 여기서 곡들에서 그는 장조와 단조를 혼용하고 건반을 타악기처럼 사정없이 두드려대는 등, 대범함을 넘어 냉소가 감도는 강한 불협화음으로 암울한 시대의 정서를 그려낸다.

　　맑은 담채화에 '고통' 혹은 '공포'의 표정을 위한 덧칠이 점점 많아지듯, 불협화음은 어느 순간 급속도로 탁해졌다. 불협화음은 대체 어디까지 나아갈 수 있을까? 마지막으로 1960년에 발표된 펜데레츠키의 〈히로시마의 희생자들을 위한 애가〉에 쓰이는 불협화음을 들어보자. 히로시마 원폭의 참상을 극도의 불협한 음향으로 고발한 이 곡은 쇤베르크나 프로코피예프의 12반음 클러스터에서 더 나아가 반음과 반음 사이, 1/4음들 사이, 1/8음들 사이, 그보다 촘촘한 간격을 미끄러지는 음들이 수직으로 무수히 중첩되면서 '아비규환'으로 빠져 들어간다. 아비규환이 그저 비유일거라 생각하는 분들은 이 곡을 잠깐만이라도 들어보기 바란다. 지옥에서 울부짖는 소리가 바로 이렇구나 싶을 것이다.

음정들의 역사와 운명

앞서 '고통' 혹은 '공포'의 감정을 표현하는 여러 불협화음을 음악사를 통해 간략히 살펴보았다. 여기서 '협화음과 불협화음이 무엇인가?'에 대한 논의의 저변에 끊임없이 '음정'에 관한 문제가 등장한다는 사실을 눈치챈 분들이 있을 것이다.

협화음(혹은 협화음정)을 논하는 이들을 세 그룹으로 분류해볼 수 있다. 즉 '숫자를 보면 안다'는 '합리'파, '들어보면 안다'는 '귀'파, 그리고 '열린 마음'이 중요하다고 여기는 '마음'파이다.[34]

우선 '간단한 정수비로 울릴수록 두 음이 협화를 이룬다'는 고대 그리스의 철학자 피타고라스와 화음이 인간의 '몸'에서 탄생하는 것이라고 주장하는 19세기 독일 물리학자 헬름홀츠는 합리파에 가깝다. 이런 이들은 진동수비나 배음렬표로 음향의 성질을 근본적으로 증명하려 든다. 또 중세 수도사들은 '협화 음정들이 두개골을 기분 좋게 진동시키는 반면 불

----

34 「용어 설명」 'I. 음정'과 '2. 조율법'을 먼저 읽으면 좋다.

협화 음정들은 귓속을 불편하게 두드리는 느낌을 준다'고 했는데,[35] 이런 표현은 전형적인 귀 신봉파의 얘기이다. 이들은 합리파들의 계산보다 자신의 귀를 더 믿는다. 한편 '화음은 이해하기 나름인 것'이라면서 협-불협은 따로 있는 것이 아니라고 주장한 쇤베르크는 마음파에 가깝다. 이런 주장은 아무리 난해한 패션이라도 마음을 열고 익숙해지면 언젠가 편하게 느껴질거라는 얘기와 비슷하다. 누구의 주장이 옳든 간에 합리파, 귀파, 마음파들의 격렬한 협-불협 논쟁은 온음계상의 일곱 개의음정들의 역사와 관련이 깊다.

이 세 극단의 줄다리기는 서양의 온음계(도레미파솔라시도)에서 나오는 여덟 음정들(1, 2, 3, 4, 5, 6, 7, 8도)의 운명에서도 드러난다. 협화를 논할 때 완전 1, 4, 5, 8도 네 음정은 언제나 옳다.[36] 고대로부터 이 네 개의 음정은 묻고 따질 것 없이 '완벽히 협화한 음정'으로 규정되어왔다. 전적으로 합리파의 작업

---

35 르노 랑베르, 「음계 속의 악마」(『르몽드 디플로마티크』, 2013년 12월13일 재인용).

36 보통 어떤 음(완전1도)에 대한 한 옥타브 위의 음(완전8도)의 진동수 비가 '1:2'라는 것(자연 현상)을 알고 있는 문화권에 대해 막스 베버는 '합리적인 음악 체계를 가졌다'고 말한다. 이 비를 알면 5도 위 음과는 진동수비가 2:3이며, 4도 위 음과는 3:4인 것까지는 자동으로 도출된다.

같지만, 오랜 세월이 지나도 이 음정들의 조화로움이 의심받지 않고 굳건할 수 있던 건 귀 신봉파들의 판단에도 부합했기 때문이다. 그리고 이들은 오랜 세월 익숙해지면서 마음파의 신뢰도 얻었을 것이다.

그런데 이 1, 4, 5, 8 음정의 존재가 완벽했던 건 무엇보다 고대로부터 (화음이 아닌) 선율 음악, 즉 수평의 음악을 했기 때문이다. 서양에서 중세 이후 음들을 (옆이 아니라) 위로 쌓아 올리는 '화음'의 시대로 가는 길목에서 1, 5, 8 음정의 협화성은 의심받지 않았지만 유일하게 '완전4도' 음정만은 화음에서 점점 배제되거나 '불협화' 취급을 받는 경향이 나타나기 시작한다. 일단 '귀'가 언짢아했다. 그리고 합리파에게도 4도는 석연치 않았다. '도'의 울림에서 비롯되는 자연배음들을 보면 '솔'(5도, 자연배음 세 번째 음), '미'(3도, 자연배음의 다섯 번째 음)와 달리 '파'는 16번째 배음까지도 나타나지 않는다. 즉 4도는 3화음 체계로 정리되어가는 시대 속에서 울림의 근거가 약했다.

이렇듯 '화음의 시대'에 들어서면서 내리막길을 걷게 된 4도의 운명과는 정반대로 이전까지 늘 협화음의 서자 취급을 받던 3도는 점차 협화 음정으로 대접받게 된다.[37] 복잡한 이론에 앞서 3도는 현장에서 4도보다 더 자주 사용되는데, 악기상에서 깨끗한 3도(순정률, 4:5)를 얻게 된 후 더욱 각광받게 되었다. 그리고 '3화음' 중심의 음악을 향해 가는 흐름 속에서 결국 3도는 4도를 역전하게 된다. 즉 '도-미-솔' 3화음의 '4:5:6'이라는 간단명료한 비가 보여주듯이 완전 1, 5도 음들에 끼어든 3도는 이들과 매우 조화로운 하모니를 내면서 '머리'와 '귀', '마음'을 모두 만족시키면서 지금까지 굳건한 입지를 지켜오고 있다.

6도의 운명도 3도와 비슷하지만 3도만큼 드라마틱하지는 않다. '6도'가 과거보다 좀 더 특별해진 건 앞서 살펴본 대로 13세기 전후의 영국 교회음악에서이다. 이 노래 관습이 프랑스로 전해졌을 때 6도는 비로소 자기의 숫자를 전면에 어필하게 되고 이러한 연속적인 6화음 진행을 여러 사람들의 '귀'가 좋게 듣기 시작했다.

결국 3도와 6도는 르네상스 시대에 와서 '불협'에서 '협화' 쪽으로 지위가 올라간다. 하지만 르네상스 시대 음악이론가들은 고대부터 아무 탈 없이 인정받아온 1, 4, 5, 8 협화음정

37　　고대 그리스의 피타고라스 조율 체계에서 복잡한 정수비(64:81)로 도출된다는 이유 때문에 3도는 중세 시대까지 적어도 공식적으로는 늘 배제되는 음정이었다. 그러나 합리파가 아직 인정하지 않았던 이 3도는 중세 후기 오르가눔을 부르는 교회나 수도원의 현장에서 '귀'가 이끄는 판단에 따라 점점 자주 등장할 뿐 아니라 4도 협화 음정보다 더 자주, 종종 연속으로도 쓰이게 되고 결국 협화음정으로 분류되기에 이른다.

그룹 속에 3도를 그냥 넣기는 망설여졌던지 전통적인 협화음정들인 1, 4, 5, 8도 앞에는 '완전'이라는 말을 붙이고, 뒤늦게 합류한 3도와 6도 앞에는 '불완전'이라는 말을 붙인다. 최종적으로 여덟 개의 음정들은 '완전 협화', '불완전 협화', '불협화'라는 세 종류로 정리되어 지금까지 오고 있다.

　　3도와 6도의 흐름을 보면 처음에는 '귀'와 '마음'에 의해 협화로 인정받기 시작했다가, 최종적으로는 '합리'의 명분을 통해 운명을 뒤집었다고 볼 수 있다. 선율음악에서 화음음악으로 판이 변하면서 늘 배제되던 3, 6도는 점차 귀가 듣기에 조화롭고 마음이 끌렸지만, 자연 배음에서 나오는 3도가 4:5, 6도는 3:5라는 아주 간단한 정수비[38]가 얻어진다는 합리성을 확인할 수 없었더라면 불협화에서 협화로 지위가 격상되기는 매우 어려웠을 것이다. 또한 여기서 언급하지 않은 2도, 7도, 그리고 모든 증음정과 감음정은 고대로부터 지금껏 논란 없이 완전 1, 5, 8도의 '완벽한 협화성'만큼 일관되게 '불협화'음정으로 고정되어 있다. 즉 귀, 합리, 마음이 일관되게 이 음정들을 불협하다고 인정하는 것이다. 한편 4도는 '화음의 시대'가 열리면

38　　배음렬(overtone series)상에서 장3도(예를 들어 '도'와 '미')는 진동수의 비(ratio)가 4:5, 장6도(예를 들어 '도'와 '라')는 진동수비가 3:5로 나타난다.

서 지위가 예전 같지 않아졌고, 6도는 여러 모로 검증이 된 후에도 3도만큼 각광받지는 못했다. 실제로 작곡가들은 6도가 화음에 본격적으로 나타나기 시작한 이후에도 300년 가까이 6도를 화음이나 선율에 넣기를 꺼려했다.

어떤 음정이 사회에서 어떤 대접을 받는가 하는 문제가 사람들이 느끼는 '불협화음이 무엇인가'의 문제에 깊이 관여한다는 것은 사실이다. 하지만 16세기 이후 지금까지 공식적으로 굳건한 '협화음'으로 자리매김한 3화음(도미솔)이 앞으로도 영원히 협화음으로 남을 수 있을까? 이 화음에서 20세기 초 이미 '불쾌'를 읽어낸 아도르노 같은 사람도, 불분명한 음정들로 가득한 민속음악들의 헤테로포니[39]에서 '쾌'를 느끼는 사람도 있다. 이 문제는 오늘날에도, 앞으로도 끊임없이 논쟁 중인 사안일 것이다.

---

39   헤테로포니(heterophony)는 동일한 선율을 여러 사람의 목소리나 악기가 다 같이 연주하면서 자연스럽게 조금씩 다른 선율들이 수직으로 중첩되는 다성음악을 말한다. 즉흥적인 성격이 강하며, 서양의 화성 개념이 없는 여러 나라 민속음악에서 많이 발견된다.

열정

선율의 도약

하나의 음이 다음 음으로, 또 다음 음으로 이어지면서 '선율'이 21 생긴다. 이때 선율은 이웃하는 음들로만 얌전히 움직일 수도 있고(선율의 순차 진행), 멀리 떨어진 음으로 과감하게 점프할 수도 있다(선율의 도약 진행).

선율의 진행에 있어 중세부터 고전시대까지 언제나 지지를 받아온 대표적인 형태는 바로 '순차 진행'이다. 처음에는 낮은 데서 시작했다가 점차 산의 능선과 같이 자연스럽고 완만한 곡선을 그리며 오르락내리락하는 순차 진행은 중세에서 지금까지 화성이나 대위 규칙에서도 적극 권장할 만큼 가장 자연스러운 선율 진행으로 여겨진다.

만약 이 자연스러운 순차 진행의 방향을 반대로 바꾸면 어떤 일이 생길까? 악보에는 순차진행으로 된 선율과, 순차

21 선율의 진행

22 엘가, 《수수께끼 변주곡》중 〈니므롯〉(위), 영화 「수퍼맨」 테마(아래).
순차진행(왼쪽)과 도약진행(오른쪽).

Ky - ri·e   e - le - i - son

23 모차르트, 《레퀴엠》, 〈키리에 엘레이손〉의 연속 도약 선율

진행을 반대 방향으로 바꿔놓은 선율이 나와 있다. 위의 선율은 에드워드 엘가의《수수께끼 변주곡》중 9번〈니므롯〉의 일부이고, 아래의 선율은 영화「수퍼맨」의 테마이다. 순차진행으로 된 선율은 무난하지만 별로 개성이 느껴지지 않는다. 그러나 선율을 반대 방향으로 꺾는 순간, 불안정한 '7도 도약'이 나타나면서 독특한 아우라를 갖는 선율이 된다. 작곡가들은 실제로 후자의 형태로 작곡을 했다. 이처럼 같은 선율이라도 '순차'냐 '도약'이냐에 따라 뉘앙스가 완전히 달라진다.

도약 선율은 순차 선율처럼 무난하지 않기 때문에 에너지를 필요로 한다. 모차르트의《레퀴엠》중 처음부터 끝까지 'Kyrie eleison, Christe eleison'(주여 구원하소서)라는 짧은 외침을 간절히 반복하는 두 번째 곡〈키리에 엘레이손〉은 악보에서 보다시피 주제 선율이 그리는 곡선이 예사롭지 않다. 음악은 처음부터 강렬한 포르테와 함께 테너에서 시작되는데, 고작 다섯 음이 진행되는 동안 격렬히 도약하는 이 레퀴엠 선율은 '(나를) 선택해달라!'는 열망이 마치 음표가 된 것처럼 강력한 의지로 꿈틀거린다.

슈만의 피아노 연작《어린이 정경》중 가장 유명한〈트로이메라이〉는 전체적으로 소박하고 아담한 인상의 소품이지만 이 곡을 그저 무난하고 얌전한 곡이라고만 알고 있는 분은 이 곡을 다시 한 번 들어보시기 바란다. 무엇보다 이 곡의 열

24   슈만, 〈트로이메라이〉 끝부분 선율 도약

25   말러, '아다지에토' 바이올린 선율 중 도약이 자주 등장하는 부분

정은 테마에서 드러난다. 선율은 처음에 중음역에서 가만히 '4도' 도약으로 비교적 무난하게 시작되어 '3도', '6도' 등 다양 한 변형을 거친다. 특히 곡의 마무리 부분에 나타나는 과감한 6도 도약에서 음악은 이 도약에 귀를 기울이듯이 잠시 페르마 타(늘임표)로 모든 것을 멈추게 한다. 이 선율을 감싸는 모든 음악의 요소들은 이 6도 도약 선율에 담긴 의지를 더욱 선명하 게 부각시킨다. 즉 테마 선율이 6도를 한껏 도약할 때 높이 뛰 어오른 무용수를 받쳐주는 상대처럼 베이스가 저 아래의 음으 로 내려가는 식이다.

흔히 알마에 대한 말러의 '연애편지'로 알려진 말러의 〈교향곡 5번〉 4악장 '아다지에토'(Adagietto)의 바이올린 선율 에서도 4-5도 음정 도약에서 옥타브, 나아가 10도 도약으로 점 차 도약의 폭이 커지는 걸 들을 수 있다. 선율은 네 마디 동안 매우 여리게(pp)에서 매우 강하게(ff)로 다이내믹 변화를 동 반한다. 이것은 뤼케르트 시에 붙인 자신의 가곡 〈나는 세상에 서 잊히고〉에서 가져온 것으로, 이 부분이 뜨거운 사랑 고백이 든 아니면 속세를 초월한 고백이든 말러의 마음에 일어난 열정 을 읽어내기에 충분해 보인다.

모든 과감한 도약 선율에는 이처럼 '나 꼭 하고 싶은 말 있어요' 하는 열정의 목소리가 들어 있다. 불협화 음정 도약은 물론, 협화음정의 도약이라 해도 이전까지 주로 순차 진행으로

26   김범수의 〈보고 싶다〉에 나오는 비화성음들.
　　　　(순서대로) 전타음, 전타음, 보조음, 예상음

무난히 흘러온 음악에서 일어나는 도약은 분명 예사로운 일이 아니다. 더군다나 〈트로이메라이〉의 경우와 같이 곡이 끝나가는 시점에서 가장 의미 있는 도약이 일어날 때, 맥락상 더 강렬한 울림을 주게 된다. 이처럼 조화와 균형, 물 흐르듯 무난함을 권장하는 여러 음악 이론 속에서 작곡가의 진심이 담긴 목소리는 역설적이게도 이를 깨는 제스처로 드러나게 된다.

비화성음들

사람 사는 곳이라면 (화음은 아니어도) 어디나 '선율'은 있었을 것이다. 흥이 나는 대로, 속이 상하는 대로 어떻게 툭 튀어나오는지는 알 수 없지만 선율은 지금도 음악의 모든 요소 중 가장 신비로운 창조의 영역으로 여겨진다.

그런데 언젠가부터 선율에 자연스럽게 녹아 있던 몇몇 음들에 대한 예민한 의식이 생겨나고, '특별 관리'가 시작되었다. 예를 들어 김범수의 〈보고 싶다〉 같은 익숙한 멜로디에는 악보에서 'X'로 표기된 불순한(?) 음들이 여기저기 포진해 있다. 이 음들은 비(非)화성음, 즉 '화성에 속하지 않는 음들'(non harmonic tones)이다. 이들은 음악에 '3화음 중심 체계'라는 울타리가 세워지면서 생겨난 천덕꾸러기들이다. 예를 들면 〈보고 싶다〉의 첫 번째 비화성음 '레'는 반주 화음인 C코드(도미

26

여러 비화성음들

솔)의 구성음이 아니기 때문에 비화성음으로 분류된다. 간단히 말해 '화성음'은 우리 화음의 구성원이요, '비화성음'은 우리 화음에 들어왔을 때 부딪치는 소리를 내므로 우리 구성원이 아니라는 것이다.

이처럼 '3화음 체계'로 정비된 음악 사회에 생겨난 불순분자는 한둘이 아니다. 이들은 화성음들 사이를 지나가는 음(경과음, passing tone), 화성음들 옆에 있는 음(이웃음, neighboring tone), 강박에 치고 나오는 음(전타음, appoggiatura), 버티는 음(계류음, suspension), 미리 나온 음(예상음, anticipate tone), 선율이 흘러가는 방향을 이탈하는 음(이탈음, escape tone) 등으로 명명된다.

명칭에서 짐작할 수 있듯이 화성 체계로부터 소외됐다는 공통점을 가졌을 뿐, 비화성음들의 기질은 제각각이다. 전타음은 아주 공격적인 기질의 비화성음으로 마디의 첫 강박에 들이밀고 나온다. 선율의 흐름에 반대 방향으로 튕겨나가는 이탈음 역시 음악에서 존재감이 톡톡 튄다. 반대로 경과음과 보조음은 비교적 순둥이들이다. 특히 경과음은 물 흐르듯이 순차 진행으로 움직이는 선율에 자연스럽게 섞여 비화성음들 중에서도 3화음 체계에 가장 무던하게 받아들여지는 비화성음이다. 이들은 정도는 조금씩 다르지만 화성 체계에 균열을 내는 태생 자체로 체계적인 화성 사회를 달군다.

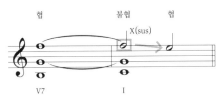

계류음의 예비(협)−계류(불협)−해결(협).

계류음은 종지를 유예시킨다.

「용어 설명」'5. 종지' 참고.

비화성음들 중에서 전타음이나 이탈음과 같이 적극적인 공격성을 띠지도, 그렇다고 경과음처럼 마냥 순응적이지도 않은 독특한 성격의 비화성음이 있는데, 바로 '계류음'이다. 계류음은 한마디로 '버티는 비화성음'이다.

왼쪽 악보에는 계류음이 어떻게 3화음 체계에 수동적인 공격성을 갖는지 그 메커니즘이 나와 있다. 여기에는 화음이 두 개 등장하는데(G7-C) 이것은 음악의 마침 어법 중 하나인 정격종지(V7-I)이다.[40] 한 번 시작된 음악은 반드시 종지를 한 후 침묵으로 돌아가도록 되어 있건만 서양음악사에서 비교적 이른 시기인 12세기 경 계류음이 나타나 음악의 마침을 유예하기 시작했다. V7(딸림화음)이 I(으뜸화음)으로 종지하려는데, 한 음(파)만 여전히 V7화음의 흔적을 붙들고 버티다가(악보의 붙임줄) 체념하듯 뒤늦게 I화음의 일원으로(미) 편입하고 있다. 이러한 계류음의 저항 메커니즘은 간단히 '예비-계류-해결'로 요약할 수 있다. 즉 계류음은 원래 이전 마디 약박에서 협화음의 당당한 구성원이다가(예비), 다음 마디에 화음이 바뀐 상황에서 버티면서 주변의 소리들과 불협화음의 긴장을 형성하고(계류), 다음 박에서 한 음 아래로 순차진행하면서 고집을 꺾고 새로운 화음에 순응하는(해결) 순서를 따른다. 이것이 계류음이 화음 체계에 소심하고도 고집스럽게 저항하는 메커니즘이다.

우리는 계류음이 나오는 부분의 음악을 들으면서 주변 환경과 불협한 사운드를 만들어내는 이 조그마한 트러블 메이커가 '조금 전까지는 화음 체계에 속한 매우 정당한 음이었다'는 사실을 기억한다. 그리고 실제 음악 속에서 이러한 계류음의 작은 몸부림은 듣는 사람의 감정을 묘하게 건드린다. 예전에 이론을 몰랐던 시절, 필자는 모차르트 《레퀴엠》 중 〈도미네 예수〉(Domine Jesu)의 특정 부분을 들을 때마다 기분이 왠지 좀 멜랑콜리해지곤 했다. 라틴어로 된 성경 가사를 알아들을 리 만무한데도 뭔가 '소리 없는 아우성' 같은 절박함이 느껴진달까. 나중에 보니 여기는 바로 이 계류음이라는 비화성음들이 쏟아져 나오는 구간이었다. 하나의 계류음이 버티다 순응하면 다른 성부 여기저기에서 '나 아직 살아 있다!' 하면서 도미노처럼 끊임없이 계류음들이 등장하는 곳이었던 것이다.

이러한 방식으로 종지를 유예시키는 계류음을 비롯해 모든 비화성음은 (불협화음처럼 공포의 대상까진 아닐지라도) 미시적인 수준에서 굳건한 화성 체계에 끊임없이 균열을 낸다. 이런 존재들은 얼핏 화음 체계에서 선율이나 화음이 가려는 길을 '방해'하는 존재들처럼 보이지만, 장기적으로는 치열한 드라마를 펼치는 소나타와 같은 예술음악으로까지 나아가게 하는 작은 원동력이 된다. 또한 이들은 3화음 체제 아래서는 부정될지 몰라도 언제 어떤 새로운 판이 짜여지느냐에 따라 상황이 역전될 수 있다(물론 그러면 또 새로운 비화성음들이 생겨나겠지만).

어떠한 체계가 주도권을 잡더라도 비화성음들을 완벽히 배제하고 가는 뻔한 음악은 재미도 없을뿐더러 애초에 예술이 아닐 것이다. 하지만 화성음-비화성음이라는 차별이 전혀 존재하지 않는 음 사회(예를 들면 열두 음이 동등한 자격을 가진 12음렬 체계) 역시 화성음들만 모인 사회만큼 감흥이 없다. 이런 걸 보면 역시 비화성음들의 힘은 보수적인 체계 속에서만 온전히 드러나는 것이다. 그러니 어떤 화음 체계가 있다는 전제하에 비화성음들이 선율에 유난히 많이 등장한다면 그 부분은 체계의 구심력에 대항하는 '선율의 의지'가 분명히 드러나는 곳이라 할 수 있다. 그리고 이 작은 열정의 언어들은 결과적으로 수많은 정당한 화성음, 체계를 이탈하지 않는 모범적인 음들을 제치고 사람들이 그 음악을 오래 기억하도록 하는 개성 있는 지표들이 된다.

2 | 이미지로
읽기

음악에 대해 문외한에 가까웠던 프랑스의 작가 마르셀 프루스트는 그의 소설『잃어버린 시간을 찾아서』에서 여러 차례 음악을 열정적으로 묘사한다. 다음은 소설에 나오는 미술 애호가 스완이 베르뒤랭 부부의 사교모임에서 연주되는 음악을 들으면서 펼쳐낸 이미지들이다.

어느 저녁 파티에서 그는 피아노와 바이올린으로 연주되는 곡을 들은 적이 있었다. … 가느다랗고 끈질기고 조밀하며 곡을 끌어가는 바이올린의 가냘픈 선율 아래서, 갑자기 피아노의 거대한 물결이 출렁거리며 마치 달빛에 홀려 반음을 내린 연보랏빛 물결처럼.

스완은 자신이 좋아하는 그 공기와도 같은 향기로운 악
절이 … 음의 장막처럼 길게 뻗은 음향 밑에서 빠져나
와 은밀하게 속삭이며 여러 갈래로 나뉘어 다가오는 것
을 보았다.[1]

스완과 마르셀에게 이토록 구체적인 색, 형태, 향기, 움직임 등
으로 생생하게 펼쳐진 이 곡은 소설에 등장하는 작곡가 뱅퇴
유의 〈트리오〉와 〈피아노 소나타〉이다.[2] 이러한 곡들은 그리는
대상을 구체적으로 제목에 언급하는 표제음악이 아닌데도 불
구하고 '달빛', '연보랏빛 물결', '향기로운 악절', '길게 뻗은 음
향의 갈래' 등 풍부한 이미지를 불러낸다.

2부에서는 이처럼 음악에 나타나는 여러 이미지 언어
들을 '자연', '종교', '낭만'이라는 세 개의 범주로 풀어나간다.
첫 번째 범주는 '자연'이다. 모든 예술이 그렇듯 음악도 기본적

1　프루스트, 『잃어버린 시간을 찾아서 2』(민음사, 2012), 45, 49–50쪽

2　소설에 등장하는 작곡가 뱅퇴유는 가상의 인물이다. 한국어판의
역자 김희영의 주석에 따르면 프루스트는 이 소나타가 생상의 〈피아노와
바이올린을 위한 소나타〉에서 영감을 받았다는 편지를 지인에게 보냈다.
그 외에도 당시 프랑스에서 유명한 작곡가들이었던 세자르 프랑크, 가브
리엘 포레, 드뷔시 등의 음악이 이러한 이미지 묘사의 모델이 되었을 것이
라는 등 여러 추측이 있다.

으로 자연에 있는 소리들을 모방한다. 대표적인 것이 '새소리'이다. 작곡가들은 쉽게 접할 수 있는 이 자연의 음악가로부터 선율이나 구성에 관한 여러 창조적 영감을 얻었다. 그 밖에도 물결이나 빛과 같이 시각과 촉각을 자극하는 것들이 직관적으로 음형화되기도 하고, 평화로운 전원의 풍경을 묘사할 때마다 빠짐없이 등장하는 화음도 있다.

두 번째 범주는 '종교'이다. 서양의 역사를 말할 때 기독교와 이교도(주로 이슬람교)를 빼고 말할 수 있는 게 별로 없을 만큼 종교는 서양음악의 중요한 키워드다. 종교는 서양음악의 짜임새나 몇몇 관습적 표현들에 지대한 영향을 끼쳐 교회음악이 아닌 여러 곡에도 종교와 관련된 음악 언어들이 자주 등장한다. 또한 종교와 관련된 소재들에는 감정이나 자연 묘사에 쓰이던 관용어들이 복합되어 어떤 상징성을 갖기도 한다.

세 번째 범주는 '낭만'이다. 낭만은 보통 시, 몽상 등 매우 정신적인 범주에 속할 것 같지만 흥미롭게도 음악에서 낭만을 그릴 때는 빛이나 물결에 쓰이는 구체적인 음형들을 활용한다. 특히 고전시대의 명확한 화성 어법 대신 화음을 색채처럼 구사하는 새로운 작곡 방식들이 가미되고, 동양에 대한 관심이 높던 19세기의 사회적 분위기가 음악에도 스며든다.

자연

새소리

살면서 아마 새소리를 한 번도 못 들어본 사람은 없지 싶다. 그만큼 새가 지저귀는 소리는 우리에게 매우 익숙하다. 그러나 책상 앞에서 열심히 멜로디를 구상하던 작곡가가 어느 날 숲으로 산책을 나왔다가 각종 새들이 지저귀는 소리를 들었을 때 새삼 얼마나 경이로웠을까. 실제로 20세기 조류학자이자 작곡가였던 올리비에르 메시앙은 아침마다 숲으로 들어가 종달새, 까마귀, 딱새, 올빼미, 마도요새 등 각종 새소리를 오선지에 받아 적고는 그 자료를 여러 곡에 활용했다고 한다.

이처럼 작곡가에게 많은 영감을 선사하는 새소리는 그 종류가 아무리 다양해도 음악 안으로 들어올 때는 몇몇 소재들로 한정된다. 우선 새소리를 번역하기 위해 사용되는 악기는 주로 음역대가 높은 플루트, 피콜로, 바이올린, 혹은 피아노 등이다. 목관 악기는 오케스트라의 모든 악기 중에서도 공기 기둥을 진동시켜 소리를 내는 방식이나 울림통의 크기 등이 새소리와 가장 유사하다. 특히 중저음역대의 오보에나 클라리넷은 독주, 앙상블, 교향곡 등 어떠한 편성에서든지 특유의 음색으로 우리에게 새소리를 쉽게 환기시키므로 새소리 묘사에 자주 활용된다.

새와 관련된 표제음악에 나타나는 음형들은 어떨까? '방울새'라는 부제가 붙은 비발디의 〈플루트 협주곡 3번 D장조〉(1728)에는 플루트가 높은 음역에서 한두 음을 반복하다 가 트릴(tr.)로 더욱 빠르고 유려해진 후 마치는 패턴이 자주 등장한다. 헨델의 〈오르간 협주곡 13번 F장조〉(1739)에는 오르간의 플루트 계열 음색으로 뻐꾸기와 나이팅게일의 지저귐을 묘사되는데 뻐꾸기 선율은 4도 혹은 3도로 떨어지며 '뻐–꾹' 소리를 내고, 맑은 휘파람 소리 비슷한 나이팅게일은 높은 음을 빠른 스타카토로 반복하거나 경쾌한 부점리듬으로 노래한다. 비발디의 《사계》(1725) 봄 1악장 중 세 명의 바이올린 독주자가 연주하는 '새의 노래'(canto de gl'ucelli) 부분에도 (어떤 새인지 정확히 알 수 없지만) 꾸밈음, 트릴, 부점, 스타카토, 음계를 빠르게 하행하거나 상행하는 글리산도, 한두 음으로 된 단편의 반복 등 민첩하고 재기발랄한 음형들이 다양하게 등장하며, 종이 다른 새 서너 마리가 동시에 지저귀면서 서로의 노

비발디, 〈플루트 협주곡 3번 '방울새'〉 중 플루트 독주 부분

라벨, 〈슬픈 새들〉

래를 모방하는 제스처도 나타난다.

　　주로 높은 음역대의 선율, 재기발랄한 리듬과 트릴이나 스타카도 같은 아티큘레이션, 단순 반복 패턴 등으로 일반화되는 음악 속 새소리가 조금 다른 느낌으로 각색되는 경우도 있다. 예를 들어 프랑스 작곡가 라벨의 음화(音畵) 시리즈《거울 모음곡》중 두 번째 곡〈슬픈 새들〉(1904)에 등장하는 새소리 ₀₂가 그렇다. 동음 반복, 높은 음역에서 세분화된 리듬으로 넓은 음역을 아우르는 선율 등 앞서 언급한 새소리 음형들과 유사하지만 독특하게도 축 처진 템포(Tres Lent, 매우 느리게)로 지저귄다. 비발디, 헨델, 글린카의 음악 속 새소리들이 진짜 숲에 있을 법한 새들의 지저귐이라면 라벨의 새들은 판타지에나 나올 법한 '슬퍼하는' 인간적 감정을 가진 새들이다. 요컨대 라벨은 외부 세계의 새소리를 모방할 뿐 아니라 이처럼 느린 템포와 곡 내내 저음부에 깔리는 느리고 무거운 반주부, 카덴차처럼 한 번씩 도드라져 나오는 광기 어린 지저귐과 체념, 한여름의 열기 속에 정신을 잃어가는 새들의 울음, 음울한 여름 숲의 분위기를 그리며 새소리에 표정을 가미한다.

　　메시앙의《새의 카탈로그》(1958)는 프랑스의 해안, 절벽, 숲 등지를 돌아다니면서 채보한 77종의 새소리를 모티브로 작곡된 피아노 모음곡으로 곳곳에 등장하는 종달새와 나이팅게일의 지저귐은 비발디, 헨델, 글린카의 새소리들과는 매

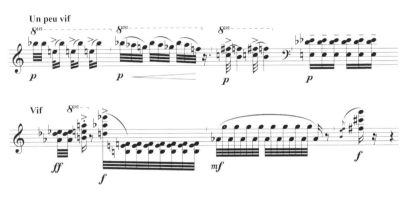

03   메시앙, 《새의 카탈로그》 중
6번 〈숲 종달새〉의 숲 종달새(위)와 나이팅게일(아래)

3   이 책의 2부 '전원', '천국', '색채 마법' 파트에서 다시 언급된다.

우 다른 느낌을 준다(메시앙,《새의 카탈로그》6번 중 숲 종달
새와 나이팅게일). 심지어 메시앙이 새소리를 채보한 계절, 날짜, 시간, 장소가 워낙 다양해서 같은 종의 새소리라도 아침, 오후, 밤, 강기슭, 해안 절벽 등에 따라 전혀 다르게 들린다. 뿐만 아니라 메시앙은 끊임없이 정박(meter)으로부터 달아나는 자연의 새소리 리듬에 주목하여 인도의 리듬체계인 탈라(Tala, 음가들을 중간에 자유롭게 추가하거나 빼버림)를 활용하여 더 자연에 가까운 리듬을 만들어낸다.

이처럼 새소리들은 예나 지금이나 음악 안으로 들어올 때 그냥 '나 새소리야, 정말 닮았지?'로 만족하고 끝나지 않는다. 여기에는 앙상블이나 관현악의 화성 반주가 깔리거나 라벨의 〈슬픈 새들〉에서와 같이 인간의 감정이 투사되고, 때로는 메시앙의 새소리에서처럼 자연배음(overtones)을 바탕으로 만들어진 무지갯빛의 불협화음이 가미되기도 한다. 그 밖에도 새소리 음형은 '전원'과 관련된 표제음악에 빠지지 않고 등장하며, 판타지 효과를 내는 화음들과 결합될 경우에는 마법에 걸린 전설의 새가 되기도 하고(스트라빈스키,《불새》), 새소리 그 자체로 '낙원'을 표상하기도 한다(메시앙의 〈시간의 종말을 위한 사중주〉(1941)에 등장하는 개똥지빠귀의 지저귐).[3]

새소리는 선율뿐 아니라 음악을 구조화하는 데에도 많은 영감을 주었을 것이다. 예를 들어 굴뚝새 부부는 서로의 지

<u>○4</u>　　라벨, 〈바다 위의 조각배〉의 물결 음형

4　　제니퍼 애커먼, 『새들의 천재성』(까치글방, 2018).

5　　카논(canon)은 '규칙'을 뜻하는 그리스어 kanon에서 유래된 말로, 성부들이 선율을 모방하는 기법을 가리킨다.

6　　론델루스(Rondellus)는 성부가 선율을 서로 바꿔 부르는 방식으로 13-4세기 무렵 영국에서 유행했다.

저귐에 귀를 기울이면서 대화를 하듯 상대의 선율에 유연하고도 정교한 자신의 선율을 보태고, 사랑앵무 수컷은 암컷의 특수한 소리를 완벽히 모방하는 식으로 구애의 신호를 보낸다.[4] 이것은 예술음악의 최정점으로 불리는 푸가(fugue)의 주제와 대주제, 카논 기법[5] 등의 아이디어들을 떠올리게 한다. 뿐만 아니라 조 바꿔 부르기, 선율 교차해 부르기,[6] 동형진행 기법 등등, 어쩌면 숲의 새들이야말로 서양음악의 역사를 다방면으로 이끌어온 숨은 일등공신일지 모른다.

빛, 물결, 종소리

'빛'과 '물결'과 '종소리'는 전부 '파동'을 갖는다. 반짝임, 어른거림, 동심원을 그리며 퍼져나가는 패턴 등으로 나타나는 파동의 가장 큰 특징은 일정한 '주기'를 갖는다는 점이다.

　　물결이나 빛처럼 파동과 관련된 소재들이 음악에 등장할 때는 악보 ○4 와 같이 3화음이나 7화음을 수평으로 펼친 물결 모양의 아르페지오(arpeggio, 이탈리아어로 '하프를 타다'라는 뜻)가 주기적으로 반복되는 패턴을 갖는다. 라벨의 〈바다 위의 조각배〉, 드뷔시의 〈달빛〉 반주부, 림스키코르사코프의 《세헤라자데》 1악장에도 파도나 폭풍이 나오는 장면에 이러한 물결 음형이 쓰인다.

○4

05 　리스트의 〈라 캄파넬라〉 도입부의 종소리. 옥타브 메아리가 나타난다.

06 　라벨의 〈종의 골짜기〉(위)와 메시앙의 〈노엘〉의 종소리 화음(아래)

종소리도 빛이나 물결과 마찬가지로 파동하는 입자로 되어 있는 소재이다. 음악에서 종소리 역시 일정한 주기를 가지면서 울리는데, 물결이나 빛이 보통 화음선을 따라 수평 선율로 펼쳐진 음형이라면 종소리는 배음들(overtones)이 수직으로 쌓인 화음 형태로 등장하곤 한다. 가장 간단하면서 맑은 종소리는 자연배음들 중 2, 4, 8, 16… 등 2의 제곱수로 된 배음들, 즉 옥타브 형태이다. 리스트의 피아노곡 〈라 캄파넬라〉와 라벨의 〈종의 골짜기〉에 이러한 종소리가 자주 등장한다. 〈라 캄파넬라〉는 '작은 종'이라는 뜻처럼 작고 가벼운 종소리가 멀리서 들려오듯 시작되는데 악보처럼 왼손부에 옥타브 화음이 〔05〕 나타나면 오른손이 두 옥타브 위에서 다시 옥타브 화음으로 받는 제스처가 반복된다.

라벨은 〈종의 골짜기〉에서 왼손에 '5도' 음정으로 된 베 〔06〕 이스를 지속하는 상태에서 오른손에 연속으로 '4도' 음정을 쌓아올리거나, 혹은 '5도'와 '4도'를 번갈아 쌓은 화음으로 종소리를 표현한다. 메시앙의 《아기예수를 바라보는 20개의 시선들》중 열세 번째 곡 〈노엘〉에 등장하는 종소리는 3배음(5도) 위에 '증8도'라는 불협음정을 가미해 종의 공허한 울림과 이를 살짝 비껴가는 불협한 잔향을 만든다.[7] 이러한 종소리들은 리스트의 작고 맑은 종들보다 탁하게 들리지만 오히려 불규칙한 잔향들이 뒤섞인 실제 종소리에 가까운 인상을 준다.

07   리스트, 〈제네바의 종〉

08   라흐마니노프, 〈전주곡 2번 C#단조〉 끝부분의 종소리 잔향

8   오스트리아의 작곡가이자 음향학자인 후버(Kurt Anton Hueber, 1928–2008)는 「막대종과 피아노 음향의 도움을 받아 모방 생성한 종소리」(1972)라는 논문에서 막대종의 배음을 바탕으로 한 여러 피아노 종소리 화음을 제시한다. 아직 종소리의 음향학적 분석이 이루어지지 않았던 19세기의 낭만주의 종소리 음악들 및 1944년에 작곡된 메시앙의 《아기 예수를 바라보는 20개의 시선들》 중 〈노엘〉의 종소리 등에서 보듯이, 작곡가들이 종소리를 위해 피아노상에서 4도, 5도, 증8도(혹은 단9도) 음정들로 구축한 종소리 화음들은 실제 종소리 배음 중 우리 귀에 가장 잘 들리는 3–8배음(아래 네모칸)의 음정 간격과도 일치한다.

후버의 종소리 배음렬:

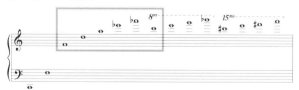

물결 음형이 '3도' 간격으로 쌓아올려진 화음을 옆으로 펼친 것이라면, 종소리 화음들은 이처럼 '4도'와 '5도' 음정이 수직으로 쌓인 형태다.[8] 뿐만 아니라 '저음역-고음역'이나 '강-약'과 같은 대비가 반복적으로 나타나는 패턴을 갖는 것도 큰 특징이다. 이것은 된 리스트의 《순례의 해》 3권의 〈제네바의 종〉에서 단 두 음으로 된 '강-약'의 반복 제스처만으로도 종소리를 환기하는 것에서 알 수 있다. 07

　　이러한 종소리 음향은 새소리 만큼이나 음악에 수없이 사용된다. 특히 라흐마니노프, 프로코피예프 등 러시아 작곡가나 아르보 패르트와 같은 에스토니아 작곡가는 '종소리'에서 많은 영감을 받았다. 그중에서도 라흐마니노프의 음악은 거의 다 '종소리'에서 파생되었다고 해도 과언이 아니다. 《두 대의 피아노를 위한 회화적 환상곡》 중 제4곡 〈부활제〉, 에드거 앨런 포의 시에 붙인 합창 교향곡 〈종〉과 같은 표제음악뿐 아니라, 유명한 〈전주곡 2번 C#단조〉와 같은 음악에서도 내내 '종소리' 08 의 울림을 들을 수 있다. 실제로 모스크바에 울리는 종소리에 영감을 받아 작곡된 이 곡은 앞부분에 종이 타격되는 순간의 무겁고 공허한 저음이 들린 후 긴 음향적 여백 속에 가볍고 느린 일련의 잔향(화음)들이 서서히 모습을 드러낸다. 끝부분에서는 묵직한 종이 여섯 차례 울리는데, 뒤따르는 종소리 잔향들은 여섯 번 모두 다른 빛깔의 화음으로 나타난다.

'종소리'는 음악에서 교회의 예배나 각종 의식 등과 관련해 지시 혹은 상징적인 용도로 종종 쓰이며 아르페지오 음형은 단순히 빛이나 물결과 같은 물질 묘사를 넘어 밤, 몽상, 시인의 목소리와 같은 낭만주의 표제음악의 저변에 숱하게 깔린다. 또한 종소리, 빛, 물결 등 파동과 관련된 음향 소재들은 색채적인 효과를 내기에도 적절해서 전통화성의 문법 진행이 아닌 새로운 전개 방식을 탐구하는 작곡가들에게 더없이 매력적인 음향 소재가 된다.

전원

'전원' 하면 흔히 평화로운 시골 풍경이 떠오른다. 우선 음악이 그리는 전원 그림에서 자주 등장하는 건 앞서 살펴본 '새소리' 언어이다. 〈사계〉의 '봄' 악장에 붙은 짧은 소네트에서 묘사한 대로, 비발디가 그리는 봄의 전원에는 새들이 아름답게 지저귄다. 헨델의 오라토리오 《메시아》(1742) 중 〈파스토랄〉에도 바이올린의 트릴로 된 새소리 언어가 등장하며, 베를리오즈의 〈환상교향곡〉(1830) 3악장('전원')의 앞부분에도 흔히 '목가적'이라는 나타냄말과 붙어 다니는 오보에와 잉글리시 호른이 짧고 단순한 선율 단편을 주고받으면서 새소리 언어를 구사한다.

전원에 대한 평온한, 혹은 단조로운 인상은 음악에서

종종 '조'에도 반영되곤 한다. 헨델의 〈파스토랄〉과 오라토리오 《솔로몬》(1749) 2막 중 자연을 예찬하는 노래는 C장조(조표 없음), 전원 생활의 추억이라는 주제의 공연을 위해 위촉받아 작곡된 베토벤의 〈교향곡 6번 '전원'〉(1808)과 베를리오즈의 〈환상교향곡〉 중 전원을 그리는 3악장은 둘 다 F장조(플랫하나)로, 전원을 그리는 음악들에는 이처럼 조표가 없거나 하나 붙는 경우가 대부분이다. 빽빽한 빌딩 숲의 도시보다 어딘가 조금은 여유롭고 한산한 시골 풍경에 샤프나 플랫이 거의 안 붙는 단순한 조라니, 어딘가 잘 어울리긴 한다. 실제로도 조표가 없거나 하나인 조는 역사가 오래된 반면, 조표가 네 개 이상인 복잡한 조가 악곡에 사용된 것은 평균율이 등장한 17세기 이후이다. 그 외에도 절대음감인 분들이라면 베토벤의 〈전원 교향곡〉(F장조, 플랫 하나)을 F#장조(샤프 여섯 개)로 바꿀 경우 전원의 평화로움을 느끼지 못할 수도 있다.(물론 F#장조로 된 쇼팽의 〈뱃노래〉나 〈자장가〉와 같은 곡들도 많이 있다. 하지만 F장조의 평화로움과 F#장조의 감미로움은 살짝 결이 다르다.)

클래식 음악에서 새소리, 단순한 조와 더불어 전원 묘사에 자주 사용하는 또 하나의 음 재료는 바로 '지속음'(pedal point)이다. 지속음은 오르간의 페달에서 온 것으로, 선율과 화음이 바뀌어도 여러 마디에 걸쳐 지속되는 음을 말한다. 주

09 　헨델, 오라토리오《메시아》중 〈파스토랄〉의 지속음

10 　베토벤, 〈교향곡 6번 '전원'〉 1악장의 지속음

로 베이스 성부에 등장하며, 으뜸음(도)이나 딸림음(솔)이 쓰인다. 비발디의 〈사계〉 '겨울'에 붙어 있는 짧은 소네트에 따르면 겨울 두 번째 악장은 '겨울비가 내리는 날 방 안의 난롯가에서 조용히 불을 쬐며 아늑한 시간을 보내는 정경'을 그린 것으로, 여러 마디에 걸친 비올라의 지속음은 아늑한 분위기를 효과적으로 그린다. 그 밖에도 헨델의 〈파스토랄〉 중 천사들 _09_ 이 목자들 앞에 나타나는 장면, 《솔로몬》 2막 중 한 여인이 자연을 예찬하는 아리아를 부르는 장면, 그리고 베토벤의 〈교향 _10_ 곡 6번〉에도 지속음이 대대적으로 등장한다. 말러의 〈교향곡 1번〉 1악장은 딱히 '전원'을 언급하고 있지는 않지만 가곡 〈나는 오늘 아침 들판을 걸었네〉의 선율이 교향곡에 통째로 인용됨으로써 간접적으로 '전원'을 언급한다. 여기서 첼로 파트가 '아침 들판' 가곡 선율을 연주하면 호른 두 대가 지속음을 연주하고, 이어 클라리넷이 숲속 '뻐꾸기'의 지저귐을 흉내 낼 때 바순이 '지속음'을 이어나간다.

　　'전원'을 그리는 데 왜 이처럼 지속음이 자주 사용될까? 단순한 조의 경우처럼 여러 마디에 걸쳐 한두 음만 내내 지속하는 단순성 때문일 것으로 추측할 수 있다. 하지만 혹시 '새소리'처럼 오랫동안 '전원의 풍경과 동반되어온 어떤 소리'에 대한 기억과 관련 있는 건 아닐까?

　　지속음은 꼭 숲과 들이 있는 평화로운 전원뿐 아니라

종종 중세의 풍경과 함께 등장한다. 예를 들면 무소륵스키의 《전람회의 그림》의 네 번째 곡 〈옛 성〉에는 처음부터 끝까지 지속음이 등장하는데[9] 이 곡의 초판 악보에는 '중세의 옛 성 앞에서 음유시인이 노래한다'라는 글귀가 있다. 한두 음으로 여러 마디를 끄는 지속음 형태는 스코틀랜드 민요 〈용감한 스코틀랜드〉(Scotland the Brave)[10]에서도 모습을 드러낸다. 중세 음유시인들이 정확히 어떤 악기를 어떤 스타일로 연주했는지

---

9 라벨의 관현악 편곡 버전에서는 두 대의 바순이 하나는 〈옛 성〉의 쓸쓸한 선율을, 다른 하나는 지속음을 연주하여 원곡인 피아노곡보다 지속음의 연주 효과가 훨씬 더 잘 드러난다.

10 스코틀랜드 전사들의 용맹함을 칭송하고 위로하는 내용으로 비공식적으로 스코틀랜드의 국가로 불린다.

11 부르동이 깔아주는 저음은 오늘날 화성적인 베이스(으뜸음이나 도미넌트)의 역할을 하는 반주라기보다는 단순히 음향 효과를 위한 지속음이다.

12 목관 악기에서 소리를 내는 얇은 판. 나무나 금속 재질로 되어 있다.

13 백파이프를 포함한 고대의 리드 악기는 악기 중에서도 가장 오랜 역사를 갖는다. 기원전의 이스라엘, 고대 바빌로니아, 메소포타미아, 이집트 등에서 일찍부터 리드 악기를 사용했다는 기록이 남아 있고, 유럽, 아시아, 아프리카 등 전 세계 민속 악기에서도 발견된다. 또한 아울로스(오보에 족)나 시링크스(팬플롯)와 같은 목관 족, 호른이나 트럼펫 같은 금관 족, 하프나 류트 따위의 현 족 등 고대에 이미 있던 악기는 복잡한 조작 없이 쉽고 깨끗하게 얻을 수 있는 자연의 2, 3배음(도, 솔)으로 된 반주음을 깔아주는 것이 용이했다.

남아 있는 기록은 부족하지만 노래 선율 아래 저음부에서 한 음을 길게 끄는 지속음의 형태는 옛 유럽에 한정되지 않고 인도를 비롯해 동서양의 옛 음악들에서 발견된다. 확실한 건 전원음악에 쓰이는 지속음 형태가 헨델이나 베토벤이 전원과 관련된 곡을 만들기 훨씬 전부터 있었다는 사실일 것이다.

실제로 지속음은 고대의 유목민들이 연주했던 '부르동'(bourdon)과 매우 유사하다. 부르동은 선율 아래 한두 음의 베이스를 지속적으로 깔아주는 반주를 가리키는 것으로 음악의 울림을 더욱 풍성하게 하거나 멋을 내는 수단으로 사용되었다.[11] 클래식 음악의 전원 풍경에 종종 나타나는 지속음은 근본적으로 원시 악기들의 반주 형태인 이 '부르동' 소리를 모방한 음악 언어인 듯하다. 이것은 중세의 음유시인들이 들고 다녔던 것으로 추정되는 비엘, 하프, 혹은 드론(백파이프) 등의 악기 소리와 관련이 있다. 특히 유목 시절 '목동의 악기'로 불린 백파이프는 동물 가죽에 수동식 풀무질로 공기를 주입해 소리를 내는 리드(reed)[12] 악기로, 저음을 지속할 수 있는 베이스 드론(bass drone)관이 달려 있어 선율을 연주하는 동안 겨드랑이에 낀 공기주머니에서 공기를 리드에 공급하여 음이 지속되는 것을 가능하게 해준다.[13]

클래식 악보에 등장하는 (악보로 번역된) 부르동은 대부분 세 가지 형태로 나타난다. 즉 '도'나 '솔', 혹은 '도와 솔'이

11   부르동 음형들

12   3화음과 부르동(지속음)

14   프로코피예프는 '고전'(Classical)이라는 부제가 붙은 〈교향곡 1번〉 (1917) 1악장의 도입과 종결을 명확히 '장3화음'으로 구성하고 있다.

동시에 나오는 형태이다. 마지막 형태의 부르동은 장3화음(도, 미, 솔)에서 가운데 음(미)이 빠진 장3화음과 비슷해 보이지만, 부르동을 가리키는 이 열린 3화음(도, 솔)은 클래식 음악의 대표 아이콘으로서 분명한 정체성을 지닌 장3화음[14]과는 전혀 다른 상징성을 띤다. 그러므로 열린 3화음이 '전원'과 관련된 제목, 나타냄말, 지시어들 등등과 함께 클래식 음악에 등장할 경우 그것은 일반적인 3화음이 아니라 전원의 풍경을 묘사하기 위한 '부르동'일 가능성이 높다.

　　이처럼 클래식 음악에 풍부하게 남아 있는 열린 3화음(부르동)은 숲과 들이 있는 평화로운 전원의 풍경에 동반되던 부르동에 대한 기억에서 나아가 〈옛 성〉에처럼 '중세', 혹은 '고대'나 '아주 오랜 옛날'이라는 원시적 시간, 혹은 3화음이라는 으뜸음 중심의 명확한 음악적 체계가 아직 정립되지 않은 음악의 '자연성' 또는 '야만성'을 지시하는 용도로 쓰이기도 한다. 대표적인 것이 스트라빈스키의 발레 모음곡 《봄의 제전》(1913)이다. 이 곡은 1부 '대지에 대한 경배'와 2부 '희생'이라는 제목에서부터 알 수 있듯이 태양신에게 처녀를 산 채로 제물로 바치는 어느 부족의 제사 의식을 묘사한다. 타악기와 금관이 중심이 되어 압도적인 사운드를 빚어내는 이 작품에는 특히 고대 악기들의 음향을 환기하는 부르동의 열린 3화음이 자주 등장한다. 흔히 목가적인 악기로 불리는 목관들마저 광폭하고 날카로운 음색에 가담하고 현 파트는 극도로 변칙적인 리듬을 연주하는 가운데, 이 공허한 열린 3화음의 음향은 특정되지 않은 원시적인 어느 시공간을 가리키는 핵심적인 화음 재료가 되는 걸 볼 수 있다.

종교

교회

바이브레이션 없이 깨끗하게 부르는 창법은 오늘날의 대중음악에서는 잘 쓰이지 않기 때문에 그 자체로 '교회' 혹은 '천국(낙원)'의 이미지와 결부되어 성스럽고 순결한 분위기에 효과적인 음악 언어이다. 이것은 소년들로 구성되었던 중세 교회 성가를 환기하는 '천사들의 합창'으로, 교회 성가대에는 소년들뿐 아니라 여성의 음역을 넘나드는 카스트라토[15]나 카운터테너와 같은 남성 가수도 참여했다. 이들은 음을 머리 쪽으로 띄워 가성을 내는 '팔세토'(falsetto) 창법을 사용했는데, 이것은 오늘날 영국의 유명한 얼터너티브 록 그룹 라디오헤드가 애용하는 창법이기도 하다. 세기말의 깊은 우울을 토로하는 가사 내용과 이 창법이 만나 음울하고도 몽환적인 라디오헤드만의 색깔을 만들어낸다.

반대로 '불의 심판'과 같은 저주의 메시지를 전달할 때는 '천사들의 합창'과 대조적인 음악 언어가 사용된다. 모차르트는 《레퀴엠》 중 여섯 번째 곡 〈콘푸타티스〉(Confutatis)에서 '저주받은 자들이 불의 심판을 받을 때'(Confutatis maledictis flammis acribus addictis)라고 노래하는 부분은 낮은 음역에서 성인 남성 합창단이 흉성을 쓰며 강하게 뱉는 마르카토 창법을 구사하고, 뒤이어 '축복받은 자들과 함께 나를 부르소서'(voca me cum benedictis)라는 가사 부분은 성인 여성 합창단이 변성기를 지나지 않은 소년들을 연상시키는 팔세토 창법으로 높은 음역에서 소토 보체(sotto voce, 고요하게)로 노래한다.

팔세토 창법이 교회를 환기하는 인간의 목소리라면, 넓

---

15 카스트라토(castrato)는 남성의 폐와 가슴으로 여성보다 힘이 있으면서도 남성보다 부드럽게 높은 음역대를 소화해냄에 따라 여러 음악극에서 여성 역할 뿐 아니라 종종 '신'이나 '영웅'의 역할을 도맡으며 '신비로운 천상의 소리'로 극찬받았다. 특히 18세기 이탈리아 출신의 유명한 카스트라토 파리넬리는 서유럽 전역에 거세된 남성의 목소리에 대한 열광을 불러일으켰다.

16 무소륵스키의 교향시 〈민둥산의 하룻밤〉(1867)에는 악령들의 떠들썩한 모임이 잦아드는 후반부에 고요한 종소리가 삽입되는데, 디즈니의 「판타지아」(2000)에서 이 부분은 악령들을 물리치는 교회의 새벽 종소리로 그려진다.

은 공간에서 울리는 오르간 음색 역시 '교회'를 가리키는 소리이다. 오르간은 백파이프처럼 기원전부터 여러 지역에서 사용해온 악기로 팬파이프(panpipes), 물 오르간(hydraulis), 소형 오르간인 포르타티브 오르간(portative organ) 등 다양한 형태가 있었으며, 주로 고대 그리스와 로마, 유럽 등에서 각종 행사나 스포츠 경기와 같은 오락에 분위기를 돋우는 데 사용되었다. 이처럼 오르간은 원래 교회와는 별로 상관없는 악기였으나, 10세기 무렵 각 교회 방침에 따라 파이프 오르간이 예배에 도입되기 시작하면서 오늘날에는 오르간 소리에서 바로 성당을 떠올릴 정도로 종교색 짙은 악기가 됐다. 「오멘」이나 「엑소시스트」, 「검은 사제들」 같은 종교색 다분한 오컬트 무비의 구마 장면에서 핵심적으로 사용된 악기 역시 오르간이다.

그 외에도 교회와 관련된 음악에 빠지지 않는 음향이 있다. 새소리가 종종 전원의 그림에 삽입되듯이, 교회 그림에는 '종소리'가 자주 등장한다. 지금은 종을 치는 교회를 거의 찾아볼 수 없지만 8세기 이래 교회 첨탑의 종소리가 교회의 특징이 되면서 기독교 문화권의 사람들은 자연스럽게 '종소리'에서 '교회'를 떠올렸을 것이다. 실제로 종소리는 예배 시간을 알리는 상징성으로 인해 교회와 관련한 거의 모든 이미지와 조우한다. 민둥산에서 한밤중 질펀한 축제를 벌인 악령들을 쫓아내는 새벽 종소리,[16] 쇼팽의 장례 종소리, '심판의 날'을 알리는 리

13   팔레스트리나, 〈사슴이 시냇물을 찾듯이〉

17   코랄(choral)은 독일복음주의 교회의 회중찬미의 노래를 말한다. 일체의 반주가 없는 다절 형식의 단선율 가공이 원형이다.

스트의 종소리, 아기예수의 탄생을 축하하는 메시앙의 종소리. 《세상의 종말을 위한 사중주》처럼 메시앙이 그리는 '천국' 그림에도 종소리는 새소리와 함께 어김없이 들어가 있다.

한편 '교회'를 떠올리게 하는 음악적 짜임새(texture)가 있는데, 16세기에 수많은 미사곡을 남긴 팔레스트리나의 무반주(a cappella)로 된 다성음악 스타일이 대표적이다. 다성음악(polyphony)은 독립적인 여러 성부들이 서로 선율을 모방하며 층층이 쌓이는 음악으로, 팔레스트리나의 〈사슴이 시냇물을 찾듯이〉의 앞 부분을 보면 테너가 노래를 먼저 시작한 후 뒤따라 앨토, 소프라노 순으로 이 선율을 모방하면서 음악이 진행되는 걸 볼 수 있다. ¹³

팔세토 창법, 소년들의 합창, 무반주 다성음악, 오르간, 종소리가 묶인 옛 교회에 관한 기억에는 종종 동굴에 들어선 듯한 신비로운 울림(echo)이 동반된다. 아치형의 높은 천장으로 된 대성당에 들어서면 왠지 더 거룩해지는 기분이 드는데 여기에는 성인들의 벽화나 동상, 크리스탈로 장식된 창문 등 시각적인 화려함 외에도 넓은 공간이 빚어내는 울림이 큰 몫을 한다.

비슷한 시기 종교개혁을 단행한 마틴 루터가 만든 코랄[17] 풍의 4성부 찬송가 스타일, 예를 들어 〈내 주는 강한 성이요〉와 같은 음악 짜임새는 개신교의 음악 어법이다. 칼뱅 같은

3화음과 오르가눔

18   오르가눔(organum)은 9-13세기에 불린 다성음악을 총칭하는 것으로, 여기서는 그레고리오 성가 선율 아래에 5도나 4도를 붙여 병행하던 중세 초기의 '병행 오르가눔'을 가리킨다. 두 성부의 병행이라는 오르가눔 형태는 10세기 수도사 후크발트의 기록에 의하면 중세교회의 전유물이 아니라 세계에 이미 상당히 퍼져 있었다.

신학자는 성당보다 훨씬 소박한 규모의 교회를 지향했으며 개신교 찬송가에는 신비로운 에코 효과가 동반되지 않고 보다 소박한 느낌을 준다.

팔세토 창법이 중세 교회 성가의 '음색'을 표방한다 <u>14</u>면 '화음'을 환기하는 전형적인 소리가 있는데, 바로 오르가눔(organum)[18]이다. 악보 <u>14</u> 의 오른쪽에 있는 오르가눔 화음을 보고 좀 의아한 분들이 있을 것이다. 바로 앞 '전원' 편에서는 이 화음을 '열린 3화음', 즉 고대 백파이프의 반주(부르동)를 모방한 지속음이라고 해 놓고는 '교회' 편으로 넘어와 갑자기 중세교회의 '오르가눔' 화음이라고 하니 말이다.

사실 전원의 백파이프 소리를 닮은 지속음과 중세 그레고리오 성가의 오르가눔은 둘 다 동일한 화음이다. 3음이 빠진 형태로 된 이 화음은 기원전부터 '서로 깨끗하게 잘 어울리는 소리'로 여겨져 왔으며, 지속음이든 오르가눔이든 둘 다 '오래 전 옛날'을 환기하는 소리인 것만은 틀림없다. 그러나 실제 음악에서 둘은 전혀 다른 맥락에서 등장하므로 크게 잘못 읽어 낼 위험은 거의 없을 듯하다. 제목이나 나타냄말에 '전원'과 관련된 표현이 있으면서 '악기' 파트에서 이 화음이 나오면 고대 악기 반주 소리를 흉내 낸 '지속음'의 용도로 쓰이지만, '교회'와 관련된 제목이나 지시어와 함께 합창이나 아카펠라의 인성(voice)으로 이 화음이 들리면 중세 교회의 오르가눔 용도로

15   모차르트,《레퀴엠》중〈키리에 엘레이손〉.
마지막 화음이 오르가눔으로 되어 있다.

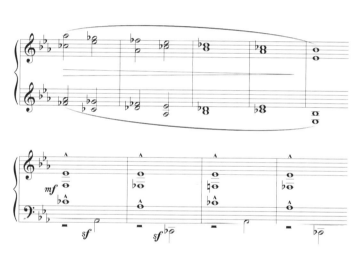

16   무소륵스키,《전람회의 그림》중〈키예프의 대문〉.
코랄과 오르가눔(위), 종소리(아래)

이해할 수 있다.

모차르트의 《레퀴엠》(1791) 중 두 번째 곡 〈키리에 엘레이손〉에서 마지막 화음은 지속음이 아닌 오르가눔이다. 이 곡 끝에서 어딘가 공허하고도 엄숙한 종교적 여운이 느껴지는 이유가 바로 이 오르가눔으로 종지하는 제스처 때문이다. 만약 어떤 연주자가 모차르트가 실수로 한 음을 빼먹었거나 악보가 잘못 인쇄된 걸로 착각하고는 친히(!) 3음을 꽉 채워 우리에게 익숙한 3화음으로 노래한다면 어떤 일이 벌어질까? 고작 '한 음' 차이지만 이 곡이 마지막 화음에서 길게 뿜어내는 '중세'의 여운은 신기하게도 완전히 사라져버린다.

무소륵스키의 《전람회의 그림》 모음곡들 중 마지막 곡 〈키예프의 대문〉은 키예프 시에 세워진 황금 대문을 지나는 거대한 행렬을 묘사하고 있다. 여기에는 교회와 관련된 여러 음악 언어들이 나타난다. 곡 중간 부분에는 (사람의 목소리 대신) 목관 앙상블로 된 몇 마디의 코랄(찬송가 스타일)이 삽입되어 있는데, 종결 부분에 오르가눔 화음이 등장한다. 이어서 '종소리'를 표방하는 일정한 고저를 갖는 '메아리'가 연속으로 나온다. 리스트의 〈라 캄파넬라〉가 부피가 작은 종들의 울림처럼 들린다면, 이 곡에서는 규칙적인 리듬과 저음을 강하게(스포르잔도, *sf*) 타건하는 베이스 음으로 인해 큰 탑에 매달린 시계 종소리처럼 육중하게 그려진다. 이처럼 〈키예프의 대문〉,

무소륵스키의《전람회의 그림》중
〈키예프의 대문〉에 영감을 준 하르트만의 그림

19   중국 시인 도연명의 『도화원기』를 비롯해 동양 문화권에서의 '낙원'
은 주로 복숭아꽃이 있는 평화로운 전원의 풍경으로 묘사된다.

〈민둥산의 하룻밤〉과 같은 곡들은 코랄 풍의 4성부, 중세 오르가눔, 거대한 종소리가 한데 묶여 종탑이 있는 옛 교회의 인상을 불러낸다.

천국

사람들이 생각하는 천국의 풍경은 어떠할까? 동서고금을 막론하고 천국이나 낙원의 공통적인 모습은 아마도 '완벽한 전원의 풍경'이 아닐까 싶다. 복숭아꽃이 만발한 언덕, 맑은 물이 흐르는 무릉도원[19]과 성서의 계시록에서 '새 하늘과 새 땅'으로 묘사되는 천국은 우리가 사는 세상의 이상적인 자연 풍광을 마치 천국의 그림자로 이해하는 듯하다.

이러한 시각은 음악에도 어김없이 반영된다. 예를 들어 예배의 미사곡이나 장례식에 연주되는 레퀴엠에 등장하는 천국에는 '교회'의 언어들과 '전원'의 언어들이 묶이는 경우가 많다. 즉 오르가눔, 다성음악, 코랄 등 팔세토로 부르는 합창이나 아카펠라, 그리고 새소리, 부르동의 지속음, 단순한 조표, 그리고 예배와 결부된 종소리, 오르간 음색 등이다.

가브리엘 포레의 《레퀴엠》 중 마지막 곡 〈천국에서〉(In Paradisum)는 종종 전원의 언어로 사용되어온 오르간의 '지속음' 위에서, 맑은 팔세토 창법의 4성부 합창으로 '구원의 언[17]

포레의 《레퀴엠》 중 마지막 곡 〈천국에서〉.
지속음 위에 물결음형이 단조롭게 반복된다.

도리아 선법으로 되어 있는 〈스카보로의 추억〉.

20   영국의 포크송 듀오 사이먼 앤드 가펑클이 17세기 무렵의 발라드 곡 〈엘핀 나이트〉를 편곡해 1966년 발표한 곡으로, 이루어질 수 없는 사랑의 쓸쓸함을 노래한다.

21   「용어 설명」 '3. 선법' 참고.

약'에 관한 계시록의 예언을 노래하는 곡이다. 이 곡 전체에 깔린 반주부는 보다시피 화음선을 따라 잔잔하게 오르락내리락 한다. 림스키코르사코프의 〈세헤라자데〉에 등장하는 바다물결이 스펙터클하고 변화무쌍하다면, 포레의 천국에서 물결은 내내 여리고(*p*) 부드럽게(dolce) 찰랑거린다. 포레가 그리는 천국은 대체로 요란한 기상 변화를 초월한 높은 하늘처럼 고요하면서 형형색색의 스테인드글라스에 비치는 햇살처럼 신비로운 분위기를 띤다. 포레의 레퀴엠이 베토벤의 명랑한 〈전원〉교향곡이나 헨델의 〈파스토랄〉에 비해 속세에서 살짝 벗어난 아우라를 갖는 데에는 '선법'의 사용이 한몫한다. 고대 그리스에 기원을 두고 있는 선법은 17세기경 장/단음계가 출현하기 전까지 서양에서 오랫동안 사용되어온 음계다. 예를 들어 중세부터 구전되어온 영국 음유시인들의 노래 〈스카보로의 추억〉[20]과 같은 곡은 (D단조가 아닌) 도리아 선법[21]으로 되어 있다. 선법은 음악에서 여러 이미지를 환기하는데, 천국이나 낙원을 그리는 재료로 사용될 경우 장/단음계보다 음악의 진행감이 낮아 좀 더 정적인 분위기를 형성한다.[21]

　　한편 '전원'의 풍경에 묶여 있던 새소리 언어들은 메시앙의 곡에서 그 자체로 천국을 상징하는 언어로 쓰인다. 메시앙의 《시간의 종말을 위한 사중주》(1945)는 요한계시록에 나오는 세상의 종말을 알리는 천사의 나팔소리와 보좌 앞에 크

131　　　　　　　　　　　　　　　2　이미지로 읽기

리스탈처럼 빛나는 바다가 펼쳐진 새 하늘과 새 땅에서 드리는 영원한 찬양의 예배를 묘사한다. 1악장 〈수정의 예배〉에 나오는 천국에서는 개똥지빠귀와 나이팅게일이 지저귀며, 2악장 〈세상에 종말을 고하는 천사를 위한 보칼리제〉에는 그레고리오 성가를 환기하는 바이올린과 첼로의 단선율, 그리고 맑은 종소리처럼 환상적인 울림을 내는 폭포수가 아주 느리게(pres-que lent) 떨어지는 광경이 펼쳐진다.[22] 메시앙은 이 곡에서 '주의 날은 다함이 없으리라'는 계시록의 문구를 악보에 직접 인용하고 있다. 여러분은 실제로 분수에서 균일하게 떨어지는 물방울들을 조금 멀리서 오랫동안 바라본 적이 있는지 모르겠다. 폭포의 물줄기가 '반복적으로' 매우 느리게 떨어지는 것은 우리로 하여금 무한에 가까운 시간을 떠올리게 한다. 즉 메시앙의 곡에서 천국의 영원성은 새소리, 종소리, 폭포, 성가 등 천국의 풍경에 관한 상징적인 언어들이 여러 악기 파트에 수직 병치 혹은 나열 방식으로 나타나고, 셈여림이나 템포의 변화가 거의 없이 아주 느리고 단조롭게 반복되는 방식으로 음악에 접힌다.

22　공감각자인 메시앙은 폭포에 대해 다음과 같은 메모를 악보에 남겼다. "바이올린과 첼로가 연주하는 단선율 성가 분위기의 레치타티보가 멀리서 울려 퍼지는 가운데, 피아노에서 파랑‒오렌지색 화음의 폭포가 부드럽게 흘러내린다."

메시앙이 '영원'의 의미를 부여하는 숫자 '8'로 된 마지막 악장 〈예수의 불멸성 찬양〉에서도 '다함 없는 주의 시간'은 동일한 방식으로 그려지는데, 바이올린의 선율을 받치는 피아노가 '종소리' 음형을 영원히 끝나지 않을 것처럼 느리게 반복적으로(ostinato) 연주한다. 그러다가 이 곡의 마지막 열 마디는 (메시앙의 메모대로) "최고음을 향한 느린 고조, 천국을 향하는 피조물의 상승"이 음역 및 셈여림의 고조로 나타나며, 바이올린은 끊어질 듯 창백한(ppp) 하모닉스로 최고음에 도달한 후 한참을 머문다. 메시앙은 이 부분에 "천국이 보이는 듯하다"라는 메모를 남긴다.

장례

순직한 소방관이나 경찰관, 군인, 또는 전직 대통령의 서거 때 관을 들고 행진하는 장면을 뉴스에서 본 적이 있을 것이다. 장례 절차나 형식은 시대와 장소에 따라 다양하지만 서양음악에서 관을 메고 걸어가는 상여꾼의 느리고 무거운, 그러나 절도 있는 발걸음을 환기하는 대표적인 제스처는 '절뚝거리는 부점 리듬'이다.

구약 성서 중 선지자들의 탄식이 나오는 애가(哀歌)에는 '균형 잡히지 못한' 운율(부점 리듬)이 종종 발견된다. 즉 앞

19   륄리, 《아르미데》 서곡.

23   '키나'(kinah 또는 qinah)는 히브리에서 전통적으로 아브월 아홉 번째 날에 부르는 애가를 가리킨다. '키나 리듬'은 구약의 여러 선지서에서 탄식하는 내용의 구절에 자주 사용되는 독특한 운율로, 3음절로 된 첫째 행 및 2음절로 된 둘째 행으로 된 2행시(couplet) 형태를 갖는다(아모스 5:2, 호세아 13:12-13). 보다 자세한 내용은 드렘피 롱맨·레이몬드 딜러드, 『최신구약개론』(크리스천다이제스트, 1993) 중 '예레미야 애가'와 Frederick Bussby, *The Semitic background of the Synoptics* (Durham university, 1947)를 참조하라.

24   프랑스 서곡은 륄리가 발레 〈알시디아네〉(Alcidiane, 1658)에서 처음 선보인 것으로 느림-빠름-느림의 3부로 구성된다. 첫 부분은 부점을 사용한 장중한 분위기로, 두 번째 빠른 부분은 모방 기법을 사용한 알레그로로, 세 번째 부분은 아다지오의 코다로 이루어진다.

구절은 길고 뒤 구절은 짧은데, 이것은 유대의 장례에서 상여를 따라가며 다리를 질질 끌며(절뚝이면서) 애도를 표하는 몸짓, 혹은 전문적으로 곡소리를 담당하는 유대 여성들이 불렀던 '키나'(kinah)의 절뚝이는 리듬을 닮아 있다.[23]

근대 이후 음악에서 느린 템포의 부점 리듬은 17세기에 활동한 륄리의 '프랑스 풍 서곡'에 자주 나타난다. 루이 14세의 절대적인 후원 아래 프랑스 오페라를 처음 고안한 작곡가 륄리는 오페라를 보러 온 관객에 대한 환영의 인사이자 '왕의 입장'을 알리는 용도로 오페라의 서곡[24] 느린 부분에 장중한(grave) 부점을 자주 사용했다. 왼쪽 악보는 륄리의 오페라 《아르미데》 19 (1686) 서곡 앞부분이다.

느리고 장중한 부점 리듬 언어는 륄리 이후 바로크 시대에 바흐와 헨델의 오라토리오 중 예수 그리스도의 '십자가 고난', '짐을 대신 지신 어린 양' 등 구속과 속죄, 수난 등의 내용과 관련되어 자주 등장하게 된다. 예를 들어 '성육신'-'대속의 고난'-'부활'의 총 세 부분으로 구성된 헨델의 《메시아》 중 '십자가의 고난'을 다루는 두 번째 부분의 합창곡 〈하나님의 어린 양을 보라〉, 알토의 〈주는 멸시를 당하셨네〉, 합창곡 〈진실로 주는 우리 괴로움을 맡으셨네〉, 테너의 〈모두 주를 보고 비웃었네〉 등 그리스도의 고난을 묘사하거나 죽음을 암시하는 가사에는 느린 템포로 된 부점 리듬이 대대적으로 사용되는 걸 볼 수 있다. 라이프치히 성 토마스 교회 음악감독으로 오래 일했던 바흐는 헨델처럼 국제적으로 활동하는 작곡가는 아니었지만 르네상스 후기 마드리갈과 음악극, 오페라 등으로부터 이어져 오는 일종의 시대적 공통 자산이었던 표현의 이디엄들에 능통했다. 그의 《마태 수난곡》 중 첫 곡 〈오라 딸들아, 나를 탄식에서 구하라〉의 '그리스도의 고난' 부분에 역시 절뚝이는 리듬이 대대적으로 사용된다. 이러한 장중한 부점은 그리스도의 죽음이나 고난의 표현뿐 아니라, 바흐의 여러 칸타타에서 볼 수 있듯이 '천사', '하늘의 왕' 등 존엄한 존재를 표현할 때에도 자주 사용되었다.

키나의 절뚝이는 노래 운율, 왕의 입장을 알리는 륄리의 장중한 서곡, 혹은 바흐와 헨델의 수난곡의 고통받는 그리스도와 존엄한 하늘의 왕의 묘사에 대대적으로 쓰여 온 느린 부점 리듬은 고전 및 낭만주의 시대에 '장례'와 관련된 나타냄말을 갖는 음악들에서 주된 리듬 재료로 쓰인다. 예를 들면 '어느 영웅의 죽음을 애도하며'라는 글귀가 남아 있는 베토벤의 〈피아노 소나타 12번〉(1800) 3악장, '장송 행진곡'(Marcia Fu-

---

25　피아노의 댐퍼 페달(damper pedal)은 피아노의 페달 중 가장 오른쪽 것으로, 현에 붙어 소리를 정지시키는 댐퍼의 기능을 막아 건반에서 손을 떼도 그 울림이 지속되게 한다.

nebre)이라는 나타냄말이 붙어 있는 〈교향곡 3번〉(1803) 2악
장, '느리게, 장엄하게, 장송곡 풍으로'(Andante, maestoso, funebre)라는 나타냄말이 붙어 있는 리스트의 《순례의 해》 3권에 나오는 〈장송행진곡〉(1879)과 같은 음악들이다. 이러한 곡들 모두 저음역에서 단조로, 느린 부점 리듬이 처음부터 끝까지 주요 음형으로 등장하는 것이 공통적이다.

쇼팽의 〈피아노 소나타 2번〉(1837) 3악장의 경우 여기
에 종교성을 돋우는 '종소리'가 추가된다. 이 곡은 원래 '장송곡'이라는 제목으로 먼저 작곡되었다가 이후 표제를 빼고 소나타 2번에 묶여 출판되었는데, 마찬가지로 아주 느린 템포(Lento), '장송행진곡 풍으로'(Marche funèbre)라는 나타냄말, 그리고 저음역에서 절뚝거리는 리듬에 두 화음이 번갈아 반복되는 제스처(종소리 언어)가 병치된다. 반복되는 앞화음과 뒷화음이 상대적으로 '저음-고음'을 이루면서 자연스럽게 '강-약'을 내재한다. 이 두 화음의 반복 패턴이 '종소리'를 연상케 한다(호로비츠, 에밀 길렐스 등 대부분의 피아니스트가 직관적으로 이 반복되는 화음 반주에 댐퍼 페달[25]을 사용해 울려 퍼지는 듯한 종소리 여운을 더 잘 들리게 연주한다).

쇼팽의 이 장송 소나타는 '죽음'이라는 동일한 주제를 다루면서도 우울하고 엄숙한 장례식 풍경과 영원한 천국의 안식에 들어간 기쁨을 둘 다 보여주는 듯하다. 즉 한동안 정체된

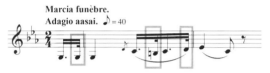

Marcia funèbre.
Adagio aasai. ♪ = 40

20 베토벤, 〈교향곡 3번〉 2악장, '장송행진곡'

Marche funèbre.
Lento.

21 쇼팽, 〈피아노 소나타 2번〉 3악장 '장송행진곡 풍으로'

듯 맴돌던 '단조'로 '여리게' '저음역'에서 울리던 침통한 목소리는, 중간에 약 3옥타브 위로 급상행하여 '장조'로 '강하게' 급전환되면서 마치 죽음 이면의 강렬한 '환희'를 드러내는 듯 표정을 바꾼다. 나아가 곡의 중간부에서는 베토벤의 〈비창 소나타〉 2악장의 독백과 같이 소박하고 아름다운 천상의 노래를 들려준다.

악마

19세기 낭만주의 음악에서 '악마', '유령', '마녀'와 같이 서구 사회에서 오래전부터 두려워하거나 적대시해온 어두움의 존재들의 초상화는 앞서 살펴본 여러 익숙한 언어들로 묘사된다.

리스트의 《순례의 해》 2권 중 마지막 곡인 〈단테를 읽고: 소나타 풍의 환상곡〉(1849)은 리스트가 단테의 『신곡』을 읽고 영감을 받아 작곡한 것으로, 단테가 시인 베르길리우스의 안내를 받아 지옥, 연옥, 천국을 여행하는 내용이다. 이 곡의 도입부는 음이 삼전음(증4도) 간격으로 쿵, 쿵 찍으며 내려가는 제스처가 연속으로 다섯 번 나오면서 시작된다. ²²

삼전음 간격으로 다섯 번 연속 하행하는 이 도입부는 악마가 거니는 삼전음의 예사롭지 않은 음향과 단테의 지옥 텍스트가 만나 (문학적 상상력을 좀 가미해서) 마치 지옥 깊은

22   리스트, 〈단테를 읽고〉 도입부의 증4도(삼전음) 연속 하행

23   생상, 〈죽음의 무도〉 도입부에 나타나는 날카로운 삼전음들

26   동시에 두 음을 연주하는 현악기 주법.

27   현악기 주법 중 활등의 나무 부분으로 현을 쳐서 연주하는 기법.

데로 떨어지는 루시퍼를 묘사한 것처럼 들린다(『신곡』에 따르면 루시퍼는 지옥의 가장 밑바닥에 산다).

밤중에 깨어나 광란의 춤을 추는 해골들의 그로테스크한 광경을 음악으로 그린 생상의 〈죽음의 무도〉(1875) 도입부 역시 날카로운 삼전음을 노골적으로 드러낸 솔로 바이올린의 더블스톱[26]으로 시작된다. 이어지는 죽음의 무도 선율에서는 좁은 음역 안에서 강박적으로 맴도는 광기 및 리드미컬한 3박자의 빠른 춤과 관련된 유희의 언어를 발견할 수 있다. 특히 '해골의 뼈들이 부딪치는 소리'를 직접적으로 묘사하기 위해 곡 전체가 주로 스타카토로 처리되어 있고, 실로폰과 현악의 콜레뇨(col legno)[27]가 사용된다.

러시아의 민담에 나오는, 빗자루를 타고 날아다니는 마녀 '바바야가'를 소재로 작곡된 무소륵스키의 《전람회의 그림》(1874) 중 〈바바야가의 오두막집〉은 (삼전음은 아니지만) 처음부터 강한 불협음정(7도) 하행 선율을 '매우 강하게' 두드리며 서늘하게 시작된다. 이 곡에서도 역시 장식적인 꾸밈음, 극도의 반음계 진행, 과도한 반복 제스처, 삼전음을 비롯한 불협음정 따위가 대대적으로 나타난다.

'악마의 음악' 할 때 일반적으로 자주 거론되는 리스트의 《메피스토 왈츠》 중 4번 〈무조적 바가텔〉(1885)은 프랑스어로 '쓸데없는'이라는 바가텔(bagatelle)의 의미처럼 짧고 가

Allegro mosso

<u>24</u>　리스트,《메피스토의 왈츠》중 〈무조적 바가텔〉 도입부

<u>25</u>　리스트, 〈무조적 바가텔〉 중 임시표와 반음.
　　순발력 있는 도약 제스처 등으로 악마의 유희를 표현한다

벼운 데다 1번보다 덜 유명하지만, 지금까지 살펴본 '악마성' 24
과 관련된 음악 언어들을 두루 지니고 있다. 우선 이 곡은 무
언가 질문을 던지는 듯한 세 음으로 시작된다. 아무런 반주 없
이 나오는 첫 열두 마디는 조가 모호한 상태에서 꾸밈음과 삼
전음으로 점철된 단편적 선율들이 막연히 불길한 뉘앙스만 만
들어낸다. 이렇게 도달한 열세 번째 마디에서 처음으로 가벼운
스타카토로 된 화음 반주가 등장하는데, 이 부분에 '익살스럽
게'(scherzando)라는 지시어가 있다. 여기에 얹어진 오른손 선
율은 장난으로 스위치를 켜고 끄듯 F음에 샤프(♯)를 붙였다
떼기를 반복하거나 미끄럼을 타듯이 반음 스케일을 오르내리
는 등 유희의 제스처를 전면에 드러내기 시작한다. '가볍고 익
살스럽게'(leggiero e scherzando)의 지시어가 붙은 부분에서
는 생상의 〈죽음의 무도〉 테마처럼 아주 좁은 음역에서 강박적
으로 맴돌다가 순식간에 3옥타브를 넘는 넓은 음역대를 아우 25
르며 뻗어나가는 순발력과 유연성을 보여주기도 하는데, 마치
악마가 자유자재로 요요를 늘였다 줄이면서 묘기를 부리는 듯
하다. 뿐만 아니라 유유자적, 즉흥적인 장난만 일삼는 듯했던
곡은 중간에 점점 빨라지면서 열정적인 상태로 돌입한다. 그러
나 이러한 열정적 제스처는 딱히 어떤 결실을 맺지도 않은 채
다시 잦아들다가 뚝 끊기고, 이어 짧고 불협한 카덴차가 나온
후 다시 첫 부분을 반복한다.

Di-es i-rae di-es il-la   sol-vet____ sa-e-clum in fa-vil-la

그레고리오 성가, 〈진노의 날〉

이 곡은 전체적으로 템포가 빠르고, '가볍게' 혹은 '익살스럽게'와 같은 지시어들이 자주 나타나며, 서커스 같은 기교를 끊임없이 보여준다. 어떤 의미로 곡 전체가 연주자의 기교를 한껏 과시하는 '카덴차'적인 곡이라고 볼 수 있다. 또한 도입부부터 최종 종지까지 반음 선율과 불협화음으로 점철되어 있어 곡 내내 조적 정체성이 모호해지는 바람에 종일 들떠 있는 것처럼 안정감이 없다. 음악은 어딘가 목표점이 있는 것처럼 고조되는 제스처를 보이다가 갑자기 그만두고, 의미 없이 여러 마디에 걸친 '길고 화려한 트릴'을 과시한다. 때로는 단어의 강세를 바꾸는 언어유희처럼 한 음만 집요하게 강세를 변조시켜 반복하며 놀고, 그냥 재미로 높은 나뭇가지를 툭툭 건드려보거나 넘치는 힘을 뽐내듯 높은 음을 재빠르게 찍고 내려오는 제스처를 반복하는 식이다.

한편 '악마'와 관련된 음악에 종종 인용되는 유명한 선율이 있는데, 바로 중세부터 불러온 그레고리오 성가 〈진노의 날〉(Dies Irae)이다. 이 곡은 중세의 라틴어 시에 선율을 붙인 것으로, '진노의 날'이란 성서에서 말하는 종말론적 의미의 '심판의 날'이며 '구원받을 자들은 천국으로, 구원받지 못할 자들은 영원한 불길 속으로 던져지는 날'이다. 이 선율의 가사는 다음과 같다. "진노의 날, 슬픔의 날, 다윗과 시빌라의 예언대로 세상 만물은 재가 될 것이다."

이 그레고리오 성가 선율은 '심판의 날', '지옥' 등 계시록의 가사와 결부되어 오랜 시간이 흐르면서 어느덧 (가사 없이) 선율만으로도 명백한 심판의 메시지를 담지하기에 이른다. 한 예로 이 선율은 위대한 영웅의 죽음을 그린 말러 〈교향곡 2번〉(1895)의 1악장 전개부에 등장하는데, 이것은 말러가 〈장례식〉(1888)이라는 제목의 교향시를 손질하여 넣은 것으로 '진노의 날'의 무시무시한 가사와 다름없는 효력을 갖는다.

〈진노의 날〉 선율은 종종 주변에 유희, 광기, 관능, 공포

28　교향시(交響詩, Symphonic poem)는 19세기에 리스트가 창안한 새로운 음악 장르의 하나로 '교향곡'(symphony)과 '시'(poem)의 개념을 결합한 것이다. 주로 문학, 회화 등에서 소재를 가져온 표제곡으로 환상적이고 추상적인 내용을 갖는다. 소나타 형식으로 된 교향곡과 달리 형식이 자유로우며, 주로 단악장으로 이루어져 있다.

29　피아니스트 막심 므라비차는 2004년 음반 〈Variation〉에서 리스트의 〈죽음의 춤〉을 전자음악으로 시도하였는데 많은 사람이 주문을 외우듯 중얼거리는 기도소리가 배경에 깔리며 곡이 시작된다. 이는 이교도들의 집회와 같은 분위기를 연출해 이 곡의 악마적인 분위기를 배가한다.

30　하나님의 보좌 옆에서 '음악'을 담당하던 천사장 루시퍼는 교만해진 나머지 졸개들과 땅 깊은 데로 떨어지는 저주를 받았고 중세의 성인 아우구스티누스는 그의 『고백록』에서 성가를 들으며 가사보다 음악에 마음이 더 끌리는 자신을 괴로워했다. 뿐만 아니라 음악을 쾌락의 목적으로 듣는 것을 위험하다고 여긴 중세의 교부들은 악기의 기교가 사람을 감각에 젖게 하여 정신을 흐리게 하는 사탄적인 것으로 여겨 교회에 악기 사용 자체를 금지시켰다.

등의 음악 언어를 동반한다. 대표적인 예를 베를리오즈의 교향시[28]《환상교향곡》(1830)과 리스트의 〈죽음의 춤〉(1849)에서 찾아볼 수 있다. 베를리오즈의 환상교향곡 5악장 〈마녀들의 밤의 향연과 꿈〉에는 바순 네 대와 튜바 두 대로 〈진노의 날〉 선율이 인용되며, '극도로 반음계적인 선율'과 '삼전음을 포함한 화음들의 연속'으로 점철된다.

　　　죽은 사람의 영혼이 밤중에 무덤을 빠져 나와 무도회를 여는 모습을 묘사한 리스트의 〈죽음의 춤〉(1849)은 이탈리아를 여행하던 리스트가 '죽음의 승리'라는 그림을 보고 영감을 받아 작곡한 피아노 협주곡으로, 〈진노의 날〉 선율은 다섯 차례 변주되어 등장한다.[29] 곡의 시작부터 목관, 금관, 현 파트가 다 같이 '진노의 날' 선율을 연주하는 동안 피아노는 저음에서 마르카토(marcato, 음을 분명하게 강조하여)로 삼전음이 포함된 화음들을 타건하여 매우 강력한 어둠을 그린다. 또한 이어지는 피아노 카덴차에서는 삼전음 두 개를 품은 '감7화음'을 비롯해 극도로 불협한 음정들의 향연이 펼쳐진다.

　　　여기에는 몇 가지 공통점이 있다. 즉 기교가 매우 화려하고 음악 내적으로 성취해야 할 목적이 없음에도 과도하게 에너지를 드러내는 유희 혹은 광기의 제스처들이 주된 음악 언어를 형성하고 있다는 점이다. 이것은 기악의 화려한 기교를 '악마성'과 연결지어온 중세 교회의 영향을 무시할 수 없다.[30] 중세를 한참 지나서도 음악에서의 기교는 '악마'의 그늘을 완전히 벗어나지는 못했는데, 예를 들어 타르티니의 〈바이올린 소나타 사단조〉(1713) 3악장에 나오는 고난도의 트릴(trill, 이웃하는 두 음을 매우 빠르게 번갈아 소리 내어 떨리는 효과를 내는 주법)이 너무나 기교적인 나머지 '악마의 트릴'(devil's trill)이라 불렸다. 초인적 기교가 연주자를 괴롭힌다는 이유로 '악마적'이라 불리는 경우도 있지만, 다양한 바이올린 주법들을 구사하고 끊어진 바이올린의 G선 하나로 신들린 듯 연주했던 파가니니가 (천사 아닌) '악마'의 바이올리니스트로 불렸던 것에서도 화려한 테크닉에 대해 근대까지 남아있는 부정적인 시각을 느낄 수 있다.

　　그 외에도 삼전음, 증2도, 장식적인 선율, 타악기 중심의 음향 등 교회가 음악을 주도하고 통제하던 시대에 종교적으로 적대시했던 아랍·페르시아 문화권의 음악을 환기한다는 이유로 기계적으로 배제되었던 여러 음 재료들 역시 '19세기 악마의 초상화'에 대대적으로 쓰인다. 더불어 고통과 공포를 표현하는 감정 언어로 쓰여온 '불협화음'과 19세기 들어 매우 구체적으로 관능성(에로티시즘), 퇴폐성 따위의 부정적인 개념들과 엮이는 '반음'이 지닌 강력한 표현력도 악마의 성정 묘사에 빠지지 않는 요소로, 삼전음이 포함된 날카로운 불협화음은 극도의 반음계적인 선율과 함께 결과적으로 '조의 정체성'에 끊임없이 위협을 가하게 된다.

요컨대 19세기 낭만주의 음악이 그려온 악마의 음악-초상화에 의하면 악마는 대체로 반(反)기독적이며, 정체성이 모호하고, 놀기 좋아하며, 에너지가 넘치고, 즉흥적이고 충동적인 장난을 일삼는다. 서양음악이 그려온 악마에 대한 이러한 관용 어법을 오늘날 전부 반영하고 있는 음악 장르가 있는데 바로 록(Rock)이다. 대표적인 것이 영국의 하드록 밴드 '블랙 사바스'(Black Sabbath)의 음악이다.

해질 녘 황폐한 저택과 숲을 뒤로 한 채 망토를 두른 창백한 얼굴의 여성이 정면을 응시하는 블랙 사바스의 데뷔 앨범 《블랙 사바스》 커버는 이들이 추구하는 음악('사람들이 무서워하는 음악')의 분위기를 짐작할 수 있게 한다. 첫 번째 트랙은 빗소리와 천둥소리를 배경으로 교회, 중세, 혹은 어떤 의례를 환기하는 '종소리'로 시작된다. 전주에 등장하는 일렉 기타의 리프는 낭만시대 음악들이 악마와 관련된 표제음악에 숱하게 사용해온 삼전음으로 된 선율이다. 이 리프는 약 4분 동안 같은 음고, 리듬, 강도로 서른여섯 차례 반복된다. 음악의 흐름상 어딘가 향해 가는 전개나 두드러지는 클라이맥스가 없으며, 단지 신경증 환자의 그것처럼 끝없이 맴도는 반복, 즉 광기의 언어를 닮아 있다. 블랙사바스는 '검은 안식일'이라는 그룹명과 앨범 타이틀에서 이미 반기독적인 성향을 명시하는 데다, 서양

〈블랙 사바스〉에 내내 깔리는 삼전음 리프 선율

블랙사바스,
《블랙사바스》(1970) 앨범 표지

메탈리카,
《메탈리카》(1991) 앨범 표지

31   메탈리카 앨범 표지의 똬리 튼 뱀 문양과 이 문구는 '개즈던 깃발'(Gadsden flag)에서 인용된 것이다. 이 깃발은 미국의 철도계획자이자 외교관이었던 제임스 개즈던(James Gadsden, 1788-1858)이 독립전쟁에 사용한 것으로 자유, 독립, 저항을 상징한다.

음악에서 오랜 세월 사용되어온 악마를 가리키는 음악 언어를 노골적으로 사용한다.

　미국의 헤비메탈 밴드 메탈리카(Metallica)의 경우도 마찬가지다. 1991년에 발표한 음반 《메탈리카》는 빌보드 200 차트에 1위로 데뷔하고 그들의 음반 중 가장 높은 판매량을 기록했는데, 이 앨범 표지에는 인상적인 '똬리 튼 뱀' 문양이 있다. 그리고 그 밑에는 "나를 밟지 마라"(Don't tread on me) 라는 문구가 쓰여 있다.[31] 또 다른 트랙 〈엔터 샌드맨〉(Enter Sandman)에는 밤마다 아이들의 눈에 모래를 뿌려 악몽을 꾸게 한다는 미국의 모래귀신에 관한 내용이, 〈더 갓 댓 페일드〉 (The God That Failed)에는 과거 제임스 헤트필드의 어머니가 믿던 종교로 인해 자신이 병에 걸렸음에도 치료를 거부하다가 사망한 사건을 배경으로 신을 비판하는 내용이 담겨 있다.

　이처럼 어두우면서 신비롭고 반기독적인 가사와 함께 현란한 일렉 기타의 테크닉, 짐승의 으르렁거림을 흉내 내는 그로울링(growling) 창법, 드럼의 강력한 비트, 강한 볼륨, 찌그러지는 디스토션(distortion) 이펙터, 그리고 주문을 걸 듯 리프를 끝없이 반복하는 제스처는 록 음악에서는 일반적인 표현 방식들이다. 뿐만 아니라 전체적으로 반음계적인 선율이 많고 꾸밈음, 미끄러지는 글리산도 혹은 포르타멘토 주법, 또한 중세에 금지되었던 '강-약'이 뒤집힌 리듬(아나페스테, anapeste)이 록에서는 기본 리듬이다.[32] 이러한 음악들이 가수의 분장이나 무대 연출, 가사 내용 등을 통해 악마성 짙은 음악을 공식적으로 지향하든 그렇지 않든, 록에 종종 서양음악이 최소 1000여 년 이상 사용해온 악마의 이디엄을 대대적으로 반영하고 있는 건 사실이다. 록 음악은 현대인들이 매우 열광하는 음악 장르인 동시에 '현대판 고통, 광기, 유희'의 총체에 동양의 음악 이디엄까지 가미된 대표적인 장르라 할 수 있을 듯하다.

---

32   전부 동양 음악 언어들의 특징이다.

낭만

시, 몽상

시와 몽상, 영원에 대한 동경은 낭만주의 음악이 즐겨 사용하는 주제들이다. 흔히 '몽상가', '방랑자' 혹은 '예언자' 등 다양한 이미지를 지닌 시인의 목소리에는 몇 가지 특징이 있다. 이들은 독백을 일삼는 고독자이며, 시선은 현실보다는 동경하는 세계를 향한다. 그리고 계시와도 같은 발화는 종종 모순적 요소를 지니며, 따라서 논리적 비약도 나타난다. 대낮에도 꿈을 꾸며 작곡한 음악의 몽상가들로는 19세기 전반에 활동한 슈베르트, 슈만, 그리고 피아노의 시인으로 불리는 쇼팽이 있다. 이들은 공통적으로 고전주의와 낭만주의의 가교 역할을 한 작곡가들로서, 우리가 시인의 목소리의 특징에서 발견할 수 있는 모든 것을 그대로 지니고 있다.

음악학자 페터 루멘휠러는 슈만의 피아노 연작 《어린이

슈만, 〈시인이 말한다〉의 첫 화음(딸림7화음)

33　　페터 루멘휄러, 「"시인이 말한다"—로버트 슈만의 〈어린이 정경〉 중 op.15 no.3」(1978), 『음악사회학 원전강독』(심설당, 2006), 279–98쪽.

34　　음악학자 쉥커는 고전음악의 구조를 I–V–I, 즉 으뜸화음(I)에서 시작해 딸림화음(V)에 도달한 후 다시 으뜸화음(I)으로 귀결된다고 통찰한다. 으뜸화음은 기능 화성에서 종종 '고향', 딸림화음은 '가장 먼 타지'에 비유되는데, 이 곡에서는 딸림화음이 첫 화음 자리를 장식하고 있다. 더군다나 기본 위치보다 모호한 인상을 주는 전위(inversion)된 딸림화음 형태가 사용됨으로써 '시작 같이 느껴지지 않는 시작'의 느낌을 더한다.

35　　원래 중세 프랑스에 유행했던 시 형식이었던 발라드(ballade)는 14–15세기에 유럽에서 다시 유행하며, 18세기에는 서정적인 성격의 시를 일컫게 된다. 쇼팽이 네 개의 발라드를 작곡한 이후 많은 작곡가들이 발라드의 자유로움과 시성(詩性)에 영향을 받았다.

36　　이탈리아어로 '소리를 낮추어, 작은 소리로'라는 뜻. 원래 성악곡에서 발성에 관한 지시어였으나 후에 기악곡에도 사용된다.

37　　괴테의 시 「가니메드」(Ganymed, 물병자리)에 붙인 곡. 물병으로 물을 붓고 있는 아름다운 소년 가니메드를 제우스가 별자리로 만들었다는 이야기가 전해진다.

정경》 가운데 마지막 곡 〈시인이 말한다〉라는 짧은 한 곡을 통해 꿈꾸는 듯한 낭만주의의 몽상을 펼쳐내는 여러 언어를 발견한다.[33] 우선 이 곡은 성악곡이 아닌 피아노 독주곡으로 '시인이 말한다'라는 제목과 모순을 일으키는데, 제목과 악기 편성의 충돌은 현실과 비현실을 넘나드는 시적인 몽상에 잘 어울린다.

다음으로 우리의 주목을 끄는 것은 이 곡의 첫 화음이다. 일반적으로 소속된 조를 뚜렷이 드러내는 으뜸화음으로 시작되는 고전시대의 습관(예를 들어 베토벤의 〈피아노 소나타 8번 '비창'〉 1악장 첫 화음) 대신, 이 곡은 무언가 아까부터 시작되어 한참을 흘러가던 중 우리의 가청 범주 안으로 들어온 듯이 시작된다.[34] 이러한 '모호한 시작'은 (조의 정체성을 분명히 드러내는) 으뜸화음으로 시작하는 고전 소나타들과 달리 낭만주의 음악에서는 매우 흔한 제스처이다. 조국 폴란드의 한 시인의 시에 영감을 받아 작곡된 쇼팽의 네 개의 발라드[35] 중 〈발라드 2번〉과 〈발라드 4번〉의 첫 부분도 흐르던 음악이 서서히 전면에 드러나는 것처럼 시작된다. 2번은 '소토 보체'(sotto voce)[36]로, 4번은 피아노(*p*)로 속삭이듯이 단 '한 음'으로 운을 뗀다. 두 곡 모두 한 음을 가만히 연타하다가 서서히 선율과 화음의 구체적인 형상을 드러내게 된다. 또한 슈베르트의 가곡 〈가니메드〉(D. 544)[37]에서도 노래의 시작 부분이 반

슈베르트, 〈들장미〉. 작은 선율 변화로 조적 중심이 순간 바뀐다

주의 (첫 마디가 아니라) 두 번째 마디에서 슬며시 시작되는 걸 볼 수 있으며 차이콥스키가 〈교향곡 6번 비창〉 4악장의 첫 화음도 일반적인 시작 화음과는 전혀 다르다. 다만 앞의 곡들의 첫 발화가 대체로 중음역에서 가만히(p) 시작되어 줄곧 몽상에 깊이 잠겨 있던 시인의 발화를 닮아 있다면, 〈비창〉은 강렬하게 소리치며(f) 시작된다. 이것은 슬픔이 이제 막 시작되려는 게 아닌, 이미 슬픔의 깊은 한가운데 있던 사람의 절규처럼 들린다.

　　　시인의 말하는 방식을 닮은 음악 언어는 애절하고 아련한 분위기를 위해 영화나 드라마 음악에도 자주 사용된다. 예를 들어 봉준호 감독의 영화 「괴물」의 OST 중 현서를 괴물에게 빼앗겨 고군분투하는 가족의 애환이 서린 〈젖은 신문지〉라는 트랙의 첫 부분은 7화음(Em7)으로 시작된다. 이미 비감으로 가득 차서 외치는 차이콥스키의 〈비창〉 교향곡 4악장의 뉘앙스와 마찬가지로 이 곡은 첫 한 프레이즈 내내 7화음들이 연속으로 등장한다. 방법은 다양하지만 이러한 음악들의 공통점은 전부 발화의 시작이 (어떤 식으로든) 한창 흘러가는 도중에 포착된 것처럼 들린다는 것이다.

　　　시인의 웅얼거림은 전체적으로 조(key)가 흐릿하거나, 중간 중간 조적 중심이 부유하는 제스처로도 나타난다. 예를 들면 슈베르트의 유명한 가곡 〈들장미〉(D.257)의 선율은 악보　　 29

에서와 같이 두 번째 프레이즈에서 G음이 살짝 G#음으로 바뀌면서 D장조에서 순식간에 A장조로 조의 중심이 이동한다.

조적 중심이 흔들리는 제스처는 밤의 몽상을 노래하는 가곡 〈밤과 꿈〉(D. 827)에도 나타난다. 밤이 깊어가면서 꿈은 점점 무르익고, 어디선가 즐겁게 속삭이는 소리가 들려온다. 시인은 꿈이 들려주는 이야기에 푹 빠져 있는데 아쉽게도 동이 터온다. 수면 중의 꿈인지, 아니면 슈베르트 가곡의 단골 소재인 '봄'이나 '사랑'에 관한 몽상인지, 어쨌든 그 달콤한 꿈은 아침과 함께 사라지려 한다. 그러자 시인은 '밤이여 돌아오라! 내 꿈이여 돌아오라!'라고 외친다. 이 곡은 매우 느리게(Sehr Langsam) 진행하므로 부유하는 화음들이 드라마틱하게 와닿지는 않지만, 약 열 마디 동안 조적 중심은 계속 부유한다. 예를 들면 피아노 건반상의 '반음 옆 조'로 아무 맥락도 예고도 없이 미끄러지듯 중심이 이동하는 느낌을 주는 듯한 부분들이 나오는데, 반음 옆 조는(예를 들면 C장조와 C#장조의 관계) 음계상에서 공유하는 화음이 전혀 없는, 사실상 서로 '아주 먼'

---

38 음 혹은 화음의 공유 개수를 중심으로 조(key)들의 친분 관계를 직관적으로 보여주는 5도권 상에서 C장조와 C#장조와 같은 반음 옆 조들은 약 180도(정반대) 방향에 있다(240쪽 그림 참고).

39 일정한 박이 주기적으로 반복되는 것.

조 관계에 있다.[38] 이렇게 힘 하나 안 들이고 아주 먼 조로 건너가 버리는 이 부분은 '(꿈이 들려주는) 즐거운 그 소리 엿듣기'(Die belauschen sie mit Lust)라는 가사가 시작되는 부분이다. 과정이 생략된 급작스러운 전조 혹은 조적 부유의 제스처는 반드시 '몽상'과 관련된 곡뿐만 아니라 소나타나 교향곡 등 슈베르트의 음악 전반에 나타나는 경향이기도 하다. 슈베르트가 구사하는 이러한 전조 방식은 마치 눈을 한 번 깜빡한 사이 깊은 꿈속으로 미끄러져 들어가는 졸음처럼, 순식간에 다른 차원으로 어려움 없이 넘나들었다가 '아침이 밝아오면' 금세 다시 현실로 돌아오는 인상을 준다.

　　　한편 음악 속 시인의 목소리는 가사 없는 기악음악에서 종종 독백처럼 등장한다. 슈만의 〈시인이 말한다〉는 피아노 4성부로 진행되다가 페르마타(늘임표)가 붙은 8분쉼표 하나를 사이에 두고 갑자기 전혀 다른 얘기를 시작한다. 마디 구분과 박절성[39]이 갑자기 사라지는 이 부분이 바로 '레치타티보'(recitativo)이다. 레치타티보는 오페라에서 감정 표현이 목적인 아리아와 달리 관객들에게 극의 흐름을 설명하는 내러티브 부분으로, 사람의 말하는 어조를 모방한다. 이 곡의 레치타티보는 주로 단선율로 흐르다가 이따금 한 번씩 화음을 형성하는데 전부 불협화한 음정이다. 레치타티보의 끝부분에서 스타카토로 가만히 훑어 내려오는 선율이 형성하는 화음 역시 조

30   슈만, 〈시인이 말한다〉에 등장하는 레치타티보 부분

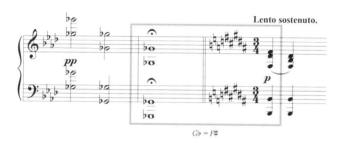

31   쇼팽, 〈환상곡 F단조〉 중 먼 조로 순식간에 전조되는 부분

40   「용어 설명」 '6. 이명동(화)음 전조' 참고

41   구성에 있어서도 환상곡, 즉흥곡, 발라드, 랩소디 등 낭만주의 시대에 유행한 형식의 곡들은 마치 도화지에 점을 찍은 후 다시 그 점에서 영감을 받아 즉흥적으로 이어나가는 듯 진행되어 전체적인 구성이 결여된 것처럼 보이는 경우가 많다.

적 소속이 불분명하게 들리는 감7화음이다. 그리고 이내 페르마타로 정체되고 템포가 느려지고(ritard.) 다이내믹은 줄어든다(decresc.). 이 레치타티보에 담긴 메시지를 굳이 번역하자면 '괴로운 목소리로 독백을 하다가 침묵하는' 정도가 될까.

'독백'의 제스처는 쇼팽의 음악에도 자주 등장한다. 예를 들어 〈환상곡 F단조〉(Op.49)에는 중간 중간 격렬한 패시지 뒤에 갑자기 템포와 분위기가 급변하면서 여백이 많은 시적 모놀로그가 나타난다. 또한 슈베르트가 순식간에 아주 먼 조로 이동하여 의식이 도약하는 인상을 주듯이, 쇼팽은 페르마타로 멈춰 있는 G♭음을 F♯음과 같은 음으로 간주하여(이명동음, 異名同音) 다음 마디에서 무려 조표 여덟 개 차이가 나는 먼 조로 손쉽게 건너간다.[40]

이처럼 낭만주의 작곡가들이 즐겨 쓰는 이명동음 전조가 불러일으키는 음향적 판타지는 마치 빨간 신호등을 보고 토마토나 붉은 태양을 떠올리듯이 도약적인 의식의 전환과 비슷하다.[41] 이러한 전조 방식은 순차적인 전조 방식으로는 결코 한 번에 이동할 수 없는 먼 거리를 단숨에 건너가기 때문에 시상을 따라 즉흥적이고 산발적으로 전개되는 낭만파의 몽상을 구현하는 데 적절하다. 낭만주의 음악들은 이처럼 다양하고 잦은 전조를 통해 '조적 중심'이 끊임없이 부유하는 제스처를 취해 모호한 인상을 극대화한다.

슈베르트 〈봄의 찬가〉와 쇼팽 〈발라드 4번〉의 물결 음형들

42   질 들뢰즈는 『천 개의 고원』 중 4장 '언어학의 기본 전제들'에서 지배적인 언어의 한계를 드러내고 이를 탈피하는 시인과 철학자들의 언어를 '말더듬기'로 표현한다.

마지막으로 몽상가의 특징인 '회상'은 어떤 음악 언어로 나타날까. 슈만의 〈시인이 말한다〉의 마무리 역시 곡 전체에 대한 '회상'과 '사라짐'을 그리는데 한 번 마무리(종지) 지은 후 유사한 프레이즈를 좀 더 낮은 음에서 더 작게 반복하며, 마지막 세 번째에는 전 곡에 대한 회상을 하듯이 저음역에서 오래 머무르다가 희미한 소리로 사라져 버린다. 불어오는 봄바람에 고통과 슬픔을 다 잊고 아름답고 새로운 세상을 꿈꾸는 가사로 된 슈베르트의 〈봄의 찬가〉(D. 686)는 처음부터 끝까지 온화한 아르페지오 반주가 깔리는 것이 특징이다. 쇼팽의 여러 발라드에도 크고 작은 물결형의 아르페지오가 끊임없이 등장한다. 이 물결은 이따금씩 도돌이표처럼 반복하면서 점점 느리게 잦아들어(decresc., rit.) 어떤 기억을 곱씹는 듯한 제스처를 보인다. '회상'의 제스처로 종종 빛, 물결, 종소리 음형이 활용되고 있는 점이 흥미롭다.

　　시와 몽상의 낭만성은 음악에서 비논리, 충동적인 전개, 조적 불안정, 과거에 대한 집착적 회상 등 말더듬이[42]의 이미지로 그려진다. 그러나 동경하는 세계에 대해 말하는 시인 혹은 몽상가의 말더듬기 음악 언어는 완전히 새로운 것이 아니라 고전시대의 전형적인 문법이나 조 운용, 박절성 등을 비껴가는 표현이 주를 이룬다.

라흐마니노프, 〈피아노 협주곡 2번〉 I악장, 물결음형(X는 비화성음)

43   점묘법은 19세기 프랑스 인상주의 화가 조르주 쇠라(Georges-Pierre Seurat)가 개발한 회화법으로, 그림에 선 대신 점들을 찍어 명암의 효과를 낸다. 대표적으로 「그랑드자트 섬의 일요일 오후」가 있다.

색채, 마법

표제음악이 유행한 19세기에는 음악으로 회화적인 효과를 내기 위한 여러 시도가 있었다. 대표적인 것 중 하나는 '화음'으로 풍부한 색채감을 만들어내는 작곡 방식이다.

하나의 화음을 아르페지오로 펼치면 보다 풍성한 음향이 만들어진다. 여기에 색채적 효과를 더하는 간단한 방법이 있다. 바로 아르페지오 사이에 이탈하는 음들을 하나둘씩 뿌려놓는 것이다. 그러면 음악은 마치 푸른 강물에 분홍색, 노랑색 등 이질적인 색깔들을 점으로 찍어 넣은 인상파 화가 조르주 쇠라의 점묘법[43]과 같이 색채적인 음향 효과를 낸다. 예를 들어 라흐마니노프의 유명한 〈피아노 협주곡 2번〉 1악장 앞 33 부분에는 거대한 Cm화음(C-E♭-G) 아르페지오가 등장하는데, 여기에는 한 두 음씩(X표기된 음들) 화음을 벗어나는 음들이 섞여 있다. 3화음을 조금씩 비껴가는 음들은 1부에서 언급했던 작은 열정의 뮤즈들, 즉 '비화성음'의 일종이다. 이들은 굳건한 3화음 사회에서 천덕꾸러기로 분류되면서도 전체적으로는 음악을 더욱 아름답고 치열하게 만드는 요소들이었다. 위의 3화음 물결음형에 흩뿌려진 비화성음들(A♭음, D♭음)은 Cm화음으로 물결치는 명징한 음향을 조금씩 흩뜨려놓으면서, 전체적으로 어른거리는 색채감을 만들어낸다.

한편 화음과 화음을 잇는 독특한 방식을 통해 회화적

<table>
<tr><td>a</td><td>→</td><td>a#</td><td>→</td><td>a</td><td>→</td><td>a#</td><td>→</td><td>a</td><td>→</td><td>g#</td></tr>
<tr><td></td><td>→</td><td>g#</td><td>→</td><td>g</td><td>→</td><td>f#</td><td></td><td></td><td></td><td></td></tr>
<tr><td></td><td></td><td></td><td></td><td>e</td><td>→</td><td>d#</td><td>→</td><td>e</td><td></td><td></td></tr>
</table>

34 　라흐마니노프 〈전주곡 2번〉 끝,
　　여섯 개의 종소리 화음들 속 미세한 반음 진행

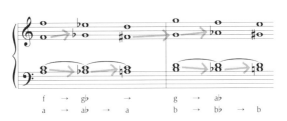

| f | → | g♭ | → | | g | → | a♭ |
| a | → | a♭ | → | a | b | → | b♭ | → | b |

35 　림스키코르사코프 《세헤라자데》 중 4악장 '폭풍' 장면.
　　성부들의 미세한 반음 신행

인 색채를 만들어내기도 한다. 예를 들면 라흐마니노프의 〈전
주곡 2번〉 끝부분에서 베이스의 '쿵' 하는 타종과 이어지는 여 <u>34</u>
섯 개의 여운, 혹은 림스키코르사코프의 《세헤라자데》 4악장 <u>35</u>
에서 파도가 몰아치는 부분이다. 낭만주의 작곡가들은 종소리
나 바닷물결의 색채감을 만들어내기 위해 악보에서와 같이 화
음과 화음 사이에 미세하게 움직이는 '반음' 선율들을 숨겨둔다
(옆의 악보들은 숨어 있는 반음 선율이 더 잘 보이도록 화음을
4성부로 축약한 것이다). 이러한 화음 진행은 화음의 구성음들
이 제자리에 머물러 있거나 반음씩 위아래로 정교하게 움직이면
서 다음 화음이 되고, 그 화음의 구성음들이 또다시 옆으로 미
세하게 이동하면서 다음 화음이 도출되는 식으로 전개된다. 이
런 것을 흔히 '색채적인 화음 진행'이라 부른다. 색채적 화음 진
행이 쓰인 부분은 종소리(청각)나 넘실대는 바닷물결(시각)이
시시각각 무지갯빛으로 미묘하게 변하는 인상을 만들어낸다.

　　빈 고전파(하이든-모차르트-베토벤)의 화음 진행 방식
은 이렇지 않았다. 그들은 소나타나 교향곡에서 문장을 구사
하듯이 장/단조 체계에 입각하여 으뜸음 중심으로 된 '화성학'
이라는 공통어법을 사용했다. 간단히 말해 문장은 으뜸화음(I)
에서 시작해 딸림화음(V)에 이르고, 다시 크고 작은 종지 구
문들을 거쳐 으뜸화음(I)에 안착해야 하는 기본 틀 안에서 이
야기를 풀어나가는 것이 관건이었다. 그러나 층층이 쌓인 반음

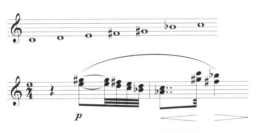

6등분할음계(위)와 드뷔시의 〈돛〉 앞부분(아래)

선율들의 미묘한 변화로 화음과 화음을 이어나가는 색채적 화음 진행에는 구문적인 의미가 성립되지 않는다. 따라서 매 순간 울리는 '화음 그 자체'의 음향이 전면에 드러나게 되고, 감상자는 그 색채들을 향유하게 된다.

'화음'을 독특한 방식으로 다루어 음악에 무지갯빛의 다채로운 색감을 만들어내는 것 외에, 특징 있는 '음계'를 사용하여 신비로운 색채를 자아내는 경우도 있다. 예를 들면 한 옥타브를 6등분한 '온음음계'(whole-tone scale)를 바탕으로 작곡된 드뷔시의 〈돛〉, 〈잎새를 스치는 종소리〉, 라벨의 〈물의 유희〉 같은 곡들은 장/단조 음악과 달리 어딘가 모호하면서도 크리스탈처럼 차가운 느낌을 준다. 회화적인 인상이 풍부해 소위 '인상주의'로 불리기도 했던 프랑스의 작곡가 드뷔시와 라벨의 수많은 음악은 온음음계에서 파생된 독특한 느낌의 선율과 화음으로 되어 있다. [36]

이런 음악이 신비롭게 들리는 것은 일단 온음음계가 상당히 낯설기 때문이다. 수많은 소나타, 교향곡뿐 아니라 오늘날 발라드 같은 대중가요, 영화, 드라마, 찬송가 등 대부분의 음악이 장/단음계로 되어 있다. 장/단음계만큼 익숙하지는 않지만 〈아리랑〉 같은 우리나라 전통 민요에 들어 있는 5음음계, 유럽의 구전 가락을 바탕으로 만들어진 팝 음악의 도리아, 리디

장음계

| 도 | 레 | 미 | 파 | 솔 | 라 | 시 | 도 |

5음음계

| 도 | 레 | 미 | 솔 | 라 | 도 |

도리아 선법

| 레 | 미 | 파 | 솔 | 라 | 시 | 도 | 레 |

불균등한 간격의 음계들

| 도 | 파# | 도 |

| 도 | 미 | 솔# | 도 |

| 도 | 미♭ | 파# | 라 | 도 |

| 도 | 레 | 미 | 파# | 솔#(라♭) | 시♭ | 도 |

| 도 | 도# | 레 | f# | 미 | 파 | 파# | 솔 | 솔# | 라 | 시♭ | 시 | 도 |

피아노 건반상에서 한 옥타브는 2, 3, 4, 6, 12등분할
이렇게 총 다섯 종류의 등분할이 가능하다

44　　그러나 음계는 어떤 선율과 화음을 낳을 수 있는 잠재적인 모태일 뿐 음계 자체가 곧 음악은 아니다. 따라서 음계의 불균등한 간격을 작곡가가 어떤 방식으로 활용하느냐에 따라 'C장조 음악'과 '이오니아 선법 음악'처럼 다른 분위기를 가질 수 있다.

아 등 여러 선법들 역시 오늘날 우리의 기억에 알게 모르게 남아 있는 음계들인 반면, 온음음계는 접할 기회가 거의 없다. 뿐만 아니라 온음음계는 우리가 자주 경험하는 이러한 음계들과 구성 원리부터 다르다. 장/단음계, 5음음계, 선법 등 대부분의 음계는 전부 음들의 간격이 불균등하다는 공통점을 갖는다. 반면 온음음계는 한 옥타브를 동일한 간격으로 나눈 '균등분할음계'에 속한다.

　　　한 옥타브가 분할되어 있는 방식(음계)은 음악이 빚어내는 분위기에 영향을 준다. 음 간격이 좁을수록 선율이 진행하려는 힘이 강하며, 다양한 간격들이 뒤섞여 있을 때는 상대적으로 더 좁은 간격 사이에 강한 진행감이 생긴다. 예를 들어 온음과 반음이 뒤섞여 있는 장음계의 경우 선율은 온음 간격보다 반음 간격으로 된 건반 쪽으로 향하려는 힘이 더 자연스럽고 강하다. 수력발전기가 돌아가려면 물의 '낙차'가 있어야 하듯이, 작곡가가 불균등한 간격으로 된 음계에서 반음을 향하는 방향성을 능동적으로 이용하면 '중력'과 같이 한 방향으로 집중되는 흐름을 만들어낼 수 있다. 구심력은 최소 간격이 '온음'인 5음음계보다 최소 간격이 '반음'인 장음계에서 더 강력하게 발생한다. 따라서 불균등음계의 간격의 낙차를 잘 이용하면 정서를 움직이는 드라마틱한 음악이 탄생한다.[44] 그러나 균등분할음계들에는 선율이 진행하는 힘을 갖기 위한 이러한

'낙차'가 결여되어 있다.

어떤 '중심'을 형성하는 음악보다 간격이 균일한 음계에서 나온 '중심 없는' 음악이 훨씬 편안하게 들리지 않을까 싶을 수도 있지만, (온음음계로 된 드뷔시의 〈돛〉뿐 아니라) 균등분할음계에서 나온 음악들은 대체로 편안한 느낌과는 거리가 멀다. 균등분할음계들에서 도출되는 화음에는 증4도(감5도), 감화음, 증화음, 프랑스 6화음[45] 등이 있는데, 이들은 이미 '고통'이나 '악마'와 관련해 많이 등장했던 화음들이기도 하다. 뉘앙스는 조금씩 다르지만 이런 화음들은 전부 특유의 '서늘한' 분위기를 풍긴다. 앞서 살펴본 대로 2등분할음계에서 나오는 '감5도 화음'은 생상의 〈죽음의 무도〉 도입부의 날카로운 바이올린 독주부에 대대적으로 등장했고, 3등분할음계에서 나오는 '증화음'은 파우스트 박사의 테마 선율에서 매우 모호한 분위기를 풍겼었다. 악장마다 '화성', '목성', '금성' 등의 표제가 달린 구스타프 홀스트의 관현악 모음곡 《행성들》(1917)

---

45   프랑스 6화음은 '증6도'를 품은 변화화음의 일종이다. 르네상스 시대에 기원을 두며 고전 시대에는 딸림화음(V)을 수식하는 기능화음으로, 낭만주의 음악에서는 기능 없이 음향 자체의 색채적인 용도로 자주 사용되었다.

에도 이러한 균등분할음계에 의한 진행이 큰 축을 이루면서 무중력 상태와 같이 어디로도 치우침 없는 신비한 우주의 음향이 빚어진다.

　　쇤베르크의 〈전주곡〉이나 프로코피예프의 《로미오와 줄리엣》에 등장했던 극도로 불협한 12등분할 화음은 「엑소시스트」, 「샤이닝」과 같은 공포영화의 음향 소재로 종종 쓰이지만 4등분할음계에서 나온 감화음은 악마뿐 아니라 '동화'나 '마법' 소재를 다룬 음악들에도 많이 쓰인다. 예를 들어 스트라빈스키의 《불새》 모음곡 도입부에는 악보와 같은 화음 진행이 ⎯37 나타난다. 이 네 화음들은 4등분할음계를 베이스로 하여 그 위에 3화음을 쌓은 형태로 되어 있다. 뿐만 아니라 여기에는 라흐마니노프 전주곡의 여섯 빛깔의 종소리처럼 화음과 화음 사이에 옆으로 움직이는 미묘한 반음 선율이 숨어 있어, 이러한 요소들이 전설 속 불새의 판타지적 색채를 만들어낸다. 뒤카의 〈마법사의 제자〉에서 역시 아래와 같이 반음으로 재빠르게 내 ⎯38 려오는 선율 위에 4등분할 화음(감화음)이 얹혀 있는 패시지를 곳곳에서 발견할 수 있다. 뒤카는 이 곡에서 균등분할음계에서 도출된 여러 화음들을 '색채적으로' 운용하는 동시에 '스케르초 풍'으로 된 여러 유희와 광기의 음악 언어들을 결합시키면서 제목에 어울리는 마법사의 동화적 판타지를 만들어낸다. 《불새》나 〈마법사의 제자〉, 《행성들》 등과 같이 베이스에

37   스트라빈스키,《불새》도입부

38   뒤카 〈마법사의 제자〉 중 하행하는 연속 감화음들.
      모든 성부에 반음진행이 들어있다.

39   드라마 「별에서 온 그대」 테마곡 〈맨 프롬 스타〉에 숨어 있는 반음 진행

균등분할음계가 나타나면서 화음들이 미세한 반음 선율로 연결되는 진행은 2013년에 방영된 드라마 「별에서 온 그대」의 테마음악 〈맨 프롬 스타〉(Man from star)에도 사용되었다. 19세 39 기의 작곡가들이 판타지적 소재를 구현하기 위해 즐겨 쓴 이런 화음 진행은 외계에서 온 남자 주인공과 한물간 여배우 사이의 로맨스를 그리는 판타지 드라마에 잘 어울리는 분위기를 형성한다. 이처럼 균등분할음계에서 나온 화음들이 (고전적인 화성의 문맥이 결여되어) 화음 자체의 음향을 더욱 돋보이게 하는 '색채적 화음 진행' 방식으로 사용될 경우 효과는 더욱 강렬해진다. 이렇게 탄생한 음악은 마치 모든 색을 흡수해버리는 심연, 정체를 파악하기 힘든 모호한 존재, 혹은 무중력 상태의 우주와 같은 신비로운 판타지에 어울리는 음향을 뿜어내게 된다.

동양

에드워드 사이드의 『오리엔탈리즘』에 의하면 19세기 초까지 서양인들이 '동양'이라고 말할 때 그것은 (오늘날 한중일을 비롯해 '동양'이라고 부르는 아시아가 아닌) 인도를 포함한 성서 관련국들, 즉 유럽과 지리적으로 가까운 동쪽의 나라들을 가리킨다. 이곳은 현재 '근동'이나 '중동'이라 불리는 이슬람 문화권의 나라들로 서양인에게 오래전부터 동양은 위험한 곳인 동시에 기묘하고 로맨틱한 곳으로 인식되었다. 페르시아나 아랍 등 동양에 대한 이러한 인상은 직접 경험되기보다는 주로 고대 그리스의 연극, 근대 소설이나 여행기 등 텍스트로 경험된 동양의 모습에 기인하며[46] 특히 19세기에는 (르네상스 때 고대 그리스와 로마를 향했던 관심이) 동양으로 방향을 틀면서 모든 분야에서 광적인 동양 신드롬이 일어나게 된다.

18세기부터 지금까지 서양의 눈으로 동양을 바라보고 관계하는 오리엔탈리즘적 시선이 반영된 음악은 수없이 많다. 제국주의 역사의 권위자인 존 맥켄지는 18세기 후반까지 유럽

---

46   에드워드 사이드에 의하면 고대 그리스의 작가 아이스킬로스의 「페르시아인」에서 그리스에 패배한 페르시아인들이 부르는 합창 가사는 '그리스의 입'을 통해 말하는 페르시아인을 묘사한다. 또한 에우리피데스의 「바커스의 여인들」에서 위력을 과시하는 신 디오니소스는 원래 아시아의 농업 신으로, 트로키아를 거쳐 그리스로 오면서 '술의 신'이 되었다. 프랑스의 동양연구가 앙투안 갈랑이 번역해 서양세계에 소개한 『아라비안나이트』(1714)는 동양을 위험한 곳이자 낭만적인 곳이라는 인식을 심어주었고, 19세기 사실주의 작가 플로베르는 『감정교육』과 같은 책에서 동양을 성적 판타지를 채워줄 수 있는 곳으로 묘사한다. 한편 샤토브리앙, 네르발 등이 쓴 동양 여행기도 동양의 판타지에 큰 몫을 했다(에드워드 사이드, 『오리엔탈리즘』(교보문고, 2013), 특히 1부).

47   존 맥켄지, 『오리엔탈리즘 예술과 역사』(문화디자인, 2006) 가운데 6장 '음악에서의 오리엔탈리즘' 참조.

에 위협을 가했던 오스만 제국의 영향력이 터키풍의 간주곡이나 행진곡, 또는 라모의 오페라 발레 작품 〈우아한 인도인〉(1735)이나 모차르트의 〈후궁으로부터의 탈주〉(1782) 등 동양을 모티브로 한 음악들에 영향을 주었다고 언급한다.[47] 19세기 작곡가들 역시 (차용 과정에서 많은 변화가 있었음에도) 동양의 음악을 흡수하여 새로운 음악 언어를 끊임없이 모색했다. 20세기에 이르기까지 서양의 여러 작곡가는 서양은 '동양 대 서양'이라는 이분법 구도에서 나아가, 진지한 태도로 동양의 철학과 정신에 관심을 갖기도 했다. 《행성들》로 유명한 홀스트는 산스크리트어를 익혔고, 드뷔시는 잘 알려진 대로 1889년 파리 만국박람회에 참여했다가 인도네시아의 가믈란 오케스트라를 접하고 그 불분명한 음정들에서 많은 영감을 받아 〈탑〉과 같은 동양 풍 음악을 작곡했다. 동양으로 시선을 돌리고 거기에서 창작의 새로운 소재를 찾는 경향은 유럽 전반에서 창작의 주된 흐름에 반(反)하고자 할 때 가장 쉽게 찾을 수 있는 대안이었고, 맥켄지에 의하면 19세기 중반 이후의 서양음악들에서 '동양 풍'이 전혀 가미되지 않은 음악이라는 것은 아예 찾기 어려울 정도이다.

민족주의에 몰두했던 19세기 후반 러시아에서 탄생한 림스키 코프샤코프의 교향적 모음곡 《세헤라자데》(1888)와 20세기 영국 작곡가로서 통속적인 음악 언어 구사에 탁월한

"The camel drivers gradually approach."

40   케틸비, 〈페르시아 시장에서〉.
선율 장식, 증음정, 리듬과 타악기 중심, 부르동 반주(5도음정) 등

48   한 무리의 낙타가 이쪽으로 온다(The carmel drivers gradually approach), 시장의 걸인들(The Beggars in the market place), 아름다운 공수가 다가온다(The beautiful princess approach), 시장의 광대들(The Jugglers in the market place), 뱀 부리는 사람(The snake-charmer), 칼리프가 시장을 지나간다(The Caliph passes through the market place), 걸인들 소리가 다시 들린다(The beggars are heard again), 떠날 채비를 하는 공주와 걸인들 소리(The princess prepares to depart-The beggers are heard again), 카라반이 길을 떠난다(The caravan resumes its jorney), 시장은 다시 조용해진다(And the market place goes quiet again).

재능을 지녔던 앨버트 케텔비의 관현악곡 〈페르시아 시장에서〉(1920) 두 곡에는 오리엔탈리즘 음악들에 누적되어온 '동양 풍'의 음악 언어들이 풍부하게 들어 있다.

우선 케텔비의 곡은 제목에서 알 수 있듯이 페르시아 시장의 여러 풍경들을 묘사한 것으로, 악보에는 열 개의 장면이 구체적으로 언급되고 있다.[48] 첫 곡("한 무리의 낙타가 이쪽으로 온다")만 들어보아도 클래식과 전혀 다른 인상을 풍긴다. 어떤 부분이 구체적으로 다를까. 우선 이 곡의 배경에는 '금속 장신구'와 같이 쟁쟁거리는 소리들이 끊임없이 깔린다. 서양 클래식에서 이런 정도 규모의 타악기는 주로 클라이맥스나 대미를 장식할 때만 등장하는 데 반해 이 음악에서는 타악기가 처음부터 계속, 그것도 매우 강렬하게 나온다. 또한 모차르트의 〈터키 행진곡〉과 마찬가지로 꾸밈음과 같은 선율 장식음이 기계적으로 끊임없이 등장한다. 한 단락을 마무리 짓는 방식도 서양음악의 화성적 종지(V-I)가 아닌, 썰매방울과 함께 등장하는 짧고 요란한 단편이다.

선율과 반주의 음역이 4-5옥타브 이상 꽤 벌어져 있어 선율이 벌거벗은 듯 또렷이 들리는 것도 독특한 점이다. 이것은 (서양의 하모니와 같이 풍성한 울림 없이) 단순한 하나의 선율로 된 비서구권 음악 또는 민속음악의 인상을 묘사한 것으로 보인다. 이런 헐거운 짜임새에서는 삼전음, 증2도와 같은 불협음정들이 더 도드라지게 들린다. 또한 기계적으로 반복되는 열린 3화음 형태의 반주부는 앞의 '전원' 관련 음악들에서 자주 등장하던 고대 악기의 부르동 음형이다. 이 5도(열린 3화음)는 클래식을 대표하는 3화음과 음향 면에서 대척점에 있는 '동양 풍'의 주요한 화음 소재로, 부르동은 위의 첫 곡뿐 아니라 '뱀부리는 사람'이나 '걸인들' 등, 곡 전반에 대대적으로 사용된다. 그 밖에 이교도의 인상을 가진 리듬('약약강', 약박에 강세가 들어가는 리듬)과 '5도'나 '8도' 병진행(소리가 빈 듯한 인상을 주어 화성학에서 지양하는 화음 진행)이 특징적으로 쓰이고 있다.

케텔비의 곡보다 약 30년 전 작곡된 림스키코르사코프의 《세헤라자데》는 이전부터 수많은 작곡가의 모티브가 되었던 페르시아의 천일야화(아라비안나이트)를 소재로 한 곡이다. 선율의 과도한 장식, 과도한 증/감음정의 등장, 리듬과 타악기 중심, 부르동 화음(5도)의 대대적인 사용 등은 케텔비의 곡에서와 동일하게 나타나는 특징들이다. 무엇보다 《세헤라자

---

49   현대에 쓰이는 아랍음악의 장단들 중 마스문디 아기르(Masmundi aghir)와 마스문디 카비르(Masmundi Kabir)은 붉은 악마 리듬(따단 따단 단)과 동일한 리듬으로 되어 있다. 서양음악의 강-약-중강-약과 거의 정반대로 강세가 들어가는 것이 특징이다.

데》가 청중을 사로잡는 요소는 다이내믹한 리듬이다. 특히 세헤라자데, 술탄, 칼렌다르 왕자, 바다, 파도 등 여러 테마들의 머리, 중간, 꼬리 부분이 파편화되어 리드미컬하게 반복되는 4악장의 '바그다드의 축제, 바다, 배의 난파' 부분은 강약의 패턴이 끝없이 바뀌면서 흥을 돋운다. 실제로 아랍음악에는 약박과 강박의 강세가 뒤바뀌거나 강박이 쉼표 처리된 후 약박에 첫 음이 나온다거나, 주로 4박자로 패턴화되어 있는 서양음악과 달리 7박, 10박, 13박 등 무척 이질적인 장단이 많이 등장한다.[49] 이런 요소들은《세헤라자데》에서 잦은 싱코페이션(syncopation)과 변박으로 모방된다.

　　뿐만 아니라 〈페르시아 시장에서〉의 종지 제스처가 매우 단순했던 것과 마찬가지로《세헤라자데》경우에도 섹션 간의 연결구가 종종 단순한 아이디어로 되어 있다. 서양 클래식은 보통 다음 섹션으로 넘어갈 때 전조를 하거나 모티브로 정교하게 만든 연결구가 등장하는 데 비해 이 음악에서는 마치 영상의 페이드 인/아웃(fade in/out) 기법처럼 다음 섹션으로 넘어가곤 한다. 예를 들어 3악장에서 음악이 프레이즈를 종지하는 대신 하나의 베이스 위에 머물면서 점점 여려지다가, 안개 속에서 들려오듯이 탬버린이 리듬 오스티나토로 진입하면서 서서히 다음 테마가 나타난다거나, 4악장에서 점점 여려지며 트럼펫만이 남아 연타음을 반복하다가 다음 섹션의 테마와 맞

5음음계

50   「용어 설명」'3. 선법' 참고.

물리면서 사나운 풍랑에 내재했던 리듬이 어느새 우아한 궁정의 춤곡을 반주하는 앙상블처럼 바뀌어 있는 식이다. 또한 중간 중간 클라리넷이나 바순 등 독주 악기들이 기량을 뽐내며 '즉흥연주'를 하는 듯한 화려한 패시지가 많이 등장하는 걸 볼 수 있다. 그중 하나가 3악장에서 '왕자'의 테마 끝에 따라붙는 프리지아 선법 스케일인데, 클라리넷, 플루트, 바이올린 등이 여러 악기들이 돌아가며 장기를 펼친다.

〈페르시아 시장에서〉와 《세헤라자데》에 사용된 '동양 풍'의 음악 어법에서 주목해야 할 또 하나의 중요한 소재는 '음계'이다. 서양의 작곡가들은 동양의 색채를 낼 목적으로 '장/단음계 아닌 음계들' 중 대표적으로 5음음계, 선법, 아랍음계들을 주된 음계 소재로 삼곤 했다. 우선 5음음계는 특정 지역의 음계라기보다 전 지구적으로 발견되는 음계이다. 따라서 막연히 어떤 '민속적인', '오래된', '투박한' 표현을 원할 때 쉽게 채택된다. '선법'[50]은 서양에서 기원전부터 사용하던 음계였지만 17세기 무렵 장/단음계가 대세가 되면서 선법의 사용이 줄어든 이후, 동양 신드롬이 일어나던 무렵 다시 어떤 고대의 신비로움을 간직한 동양의 색채를 낼 수단으로 자주 채택되는 걸 볼 수 있다. 도리아, 프리지아, 리디아 등 선법들 간에도 다양한 표정과 분위기가 있으나, 이들의 차이보다는 장/단음계와 차별화된 분위기를 드러내는 것이 동양 풍 음악에 선법을 쓰는 이

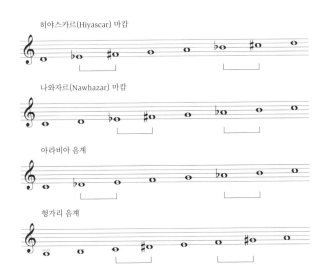

아랍의 마캄, 아라비안 음계, 집시 음계에 자주 보이는 증2도(표기된 부분)

유이다. 세 번째 음계는 아랍음계들로, 이것 역시 명확한 출처가 있기보다는 중동 지역의 마캄(Maqam, 아랍어로 '음계'라는 뜻)과 장/단음계 간 차이점을 부각시키는 방식으로 활용된다. 장/단음계에 없으면서 아랍음계들에 있는 대표적인 특징은 '증2도'와 '좁은 음 간격'이다. 대부분의 마캄은 서양의 반음 [42] (1/2음)보다 좁은 약 1/4음정을 가진다. 터키 음계는 1/8, 3/8 등의 간격도 포함하기 때문에 한 옥타브를 정확히 12반음으로 등분할한 피아노(평균율)에 익숙한 서양인들에게 이러한 24분, 30분할 음계로 된 음악들은 마치 구렁이 담 넘어가듯 기묘하게 들렸을 것이다. 이것은 동양 풍 음악에서 대체로 '극도로 반음계적인 선율'로 표현된다.

　　앞서 말한 두 음악들에서 5음음계, 선법들, 아랍음계들의 이미지는 필요에 따라 여기저기 모습을 드러낸다. 《세헤라자데》의 테마는 하프의 아르페지오 위에 '도리아 선법'으로 [43] 된 선율이 유려한 바이올린 독주로 펼쳐지면서 '동양의 여인'을 그리며, 칼렌다르 왕자는 바순의 '에올리아 선법'으로 된 선율에 등장한다. 페르시아 시장에서 '걸인들' 장면은 '5음음계' [44] 가, '낙타를 탄 사람들이 시장 쪽으로 다가오는 장면'과 '뱀 부리는 사람' 장면에는 '프리지아 선법'이 사용된다. 특히 '뱀 부리는 사람' 장면에는 아랍음계들의 이미지를 환기하는 매우 반 [45] 음계적인 선율이 좁은 음역에서 빠르게 맴도는 형태로 등장한

43 《세헤라자데》의 테마(도리아 선법)

44 '걸인들' 부분(5음음계)

45 뱀 부리는 사람 속 반음계 선율과 프리지아 선법

다. 이렇듯 동양 풍을 표방한 표제음악들이 즐겨 사용한 5음음계, 선법, 아랍음계 등은 명확한 출처가 중요한 것이 아니라 대체로 장/단음계에 없는, 혹은 차이가 나는 점 몇 가지에 주목하여 서양음악의 역사 창고에서 꺼낸 붓과 팔레트로 그린 것들이라고 할 수 있다.

두 곡을 통해 간단히 살펴본 대로 '동양'을 가리키는 클래식의 음악 언어들은 증2도, 삼전음(증4도, 감5도)를 비롯한 여러 증/감음정, 매우 반음계적인 선율, 선법의 잦은 사용, 부르동 음형의 대대적 사용, 타악기와 리듬 중심, 기계적 반복, 단조로운 종지, 그리고 잘 짜인 유기적 구성보다는 즉흥적으로 서커스단의 묘기와 같이 화려한 악기들의 기교를 뽐내는 스타일이 공통적이다. '동양'을 묘사하는 이러한 음악의 관용어들은 사실 클래식 음악에서 좋지 못하다고 여기는 사항들과 상당히 많은 부분 겹친다. 서양음악의 정체성이 가장 확고하게 드러나는 고전주의 음악(좁은 의미로 약 18세기 중반–19세기 초반 기악음악) 어법에서 증/감음정은 쓸 수 있는 자리들이 정해져 있는 화음들이다. 마찬가지로 잦은 악센트, 과도한 반음계, 지나치게 화려한 기교적 패시지, 혹은 과도하게 반복되는 리듬, 타악기의 끊임없는 등장은 클래식 음악에서는 '굉장한 강조의 제스처'로, 전체 구성에서 클라이맥스와 같은 특정 부분에만 조심스럽게 사용된다. 그러나 서양 작곡가들이 만든 동양 풍의 음악은 처음부터 끝까지 이런 제스처들로 점철되어 있다. 사실상 이것은 서양 클래식 음악에 있어서 조악하다고 여겨지는 것들의 종합판이나 다름없다. 하지만 앞서 맥켄지의 분석처럼, 이것은 동양을 조롱할 목적이기보다는 창작에 있어 새로운 소재를 탐구하고자 하는 욕구에서 나온 것이다. 나아가 청중을 (이성이 아니라) 감성적으로 완전히 사로잡았던 비제의 《카르멘》(1875)과 같이 결과적으로 '아주 매력적인 음악'을 통해 서양 음악의 전통에 의구심을 품게 하는 측면도 있다. 서양의 작곡가들은 이렇게 클래식의 최대 장기인 여러 작곡 테크닉과 동양 풍 음악의 특징을 결합해 매우 흥미롭고 성공적인 또 하나의 음악을 만들어냈다.

그렇다 하더라도 이러한 '동양 풍' 음악들에 근본적으로 에드워드 사이드가 비판한 오리엔탈리즘적 태도, 즉 몇 걸음 떨어져서 자기가 보고 싶은 대로 동양을 관찰하고 설명하려는 시선과 내려다보려는 태도가 아주 없는 것은 아니다. 이것은 케텔비의 〈페르시아 시장에서〉만 보더라도 충분히 드러난다. 예를 들면 '아름다운 공주의 행차', '칼리프의 등장'과 같은 장면과 '시장의 걸인들', '뱀 부리는 사람', 혹은 '재주넘는 광대들' 장면에 나타나는 사회적 신분에 따른 음악 어법의 차이 같은 것이다. 즉 페르시아 시장에 고귀한 신분의 칼리프(Caliph, 이슬람 제국의 주권자) 신에서 왕의 행차에 관습적으로 쓰이는 금관의 팡

파레가 (부르동이 아닌) 클래식의 정통 3화음으로 된 음악을 들려준다. 특히 공주가 등장하는 장면에는 서양 오페라 여주인공이 구사하는 전형적인 네 마디 프레이즈로 된 '서정적인 아리아'의 어법으로 된 선율이, 나아가 곡 전체에서 유일하게 이 장면에서만 매우 정확한 클래식 어법이 등장한다. 케텔비는 이 부분에서 '공주' 장면의 선율은 정확히 네 마디 프레이즈를 네 번 거쳐 ^{46} 열여섯 마디에 정격종지를 하는 클래식의 전형적인 문법을 따를 뿐 아니라, 증6화음이 들어간 고급스러운 종지를 구사한다.

　　　　케텔비는 공주나 시장의 걸인이 모두 동양인임에도 불구하고 이처럼 '낮은 신분'과 '높은 신분'을 각각 '동양의 음악언어'와 '서양의 음악언어'로 연결시킨다. 이것은 마치 프랑스 오페라 《카르멘》에서 창녀인 카르멘의 아리아 선율이 과도하게 반음계적이고 장식적인 반면, 남자 주인공 호세의 아리아가 클래식의 진중하고 서정성 담긴 선율과 정형화된 화성 문법으로 된 것과 유사하다. 더구나 작곡가 비제는 '카르멘의 아리아'를 작곡할 때 특정 동양 음계를 활용한 게 아니라 단지 그 무렵 프랑스의 카바레에서 유행하던 선율(막연히 어떤 동양음악들)을 흉내 낸 것이라고 한다. 말러의 경우 〈교향곡 1번〉의 3악장이 보수적인 평론가들로부터 교향곡을 천박하게 만들었다며 맹비난을 받은 것 역시 '카바레 풍'을 연상시킨다는 이유였는데, 논란거리가 되는 이 '카바레 풍'은 어디 따로 있는 게 아니

Gr.+6(독일 증6화음) - V7 - I

아름다운 공주의 행차 장면에 쓰인 서정적 아리아와 정격 종지

51 12세기경 십자군 전쟁 때 기보법은 아랍에서 유럽으로 전해졌다.

52 바쉬라프는 엄격한 형식의 기악 전주곡으로, 4−5부분으로 구성된
다. 첫 부분은 주제 제시 및 선법을 확립하고, 둘째 부분은 관계조로 조바
꿈하며 선법의 낮은 음역으로 주제를 발전시킨다. 셋째 부분은 높은 음역
으로 주제를 발전시키고, 넷째 부분은 원 주제를 되풀이 및 요약한다. 다
섯째 부분이 있을 경우 앞의 두 번째 부분을 다른 조로 옮겨 변주한 것을
삽입하고, 나머지는 같다(전인평, 「아랍음악의 이해」, 『음악과 문화』 창간
호[1999], 114−5쪽).

라 주로 매우 반음계적이고 증2도 음정(한마디로 동양 풍이라고 묘사하는 음악에 나타나는 요소들)이 많은 음악이 전부 '카바레 풍'으로 통했던 듯하다.

그러나 20세기 중반 이후에 와서야 조금씩 연구되기 시작한 아랍음악의 면면을 보면 의외인 것들이 많은데, 그중 하나는 '동양음악은 구성이 약하다'는 인식이다. 실제로 아랍은 서양음악이 태동하기도 훨씬 전부터 이미 매우 합리적인 음악 이론들을 갖추고 있었던 것으로 드러났다. 9세기경 유럽에 리듬이 롱가와 브레비스(긴 장단, 짧은 장단) 두 종류뿐이었던 데 반해, 같은 시기 아랍권 음악에는 수학적으로 계산된 여섯 종류의 음가가 있었을 뿐 아니라 '음고'와 '음가'를 적는 합리적 기보법이 있었다.[51] 서양음악이 자부하는 '소나타'가 등장하기 약 천여 년 전 이미 소나타 형식과 매우 유사한 구조의 기악음악 '바쉬라프'[52]도 있었다. 서양의 소나타보다 '즉흥성'이 더 강조되었다는 것이 주된 차이점이다. 아랍음악의 즉흥성과 '기교 과시'는 동양 풍 음악에 자주 나타나고, 이러한 점 역시 서양음악이 지양하는 사항이다. 하지만 음악이 그 자체로 완벽한 예술작품이기를 추구하는 음악과 즉각적인 청중들의 반응에 충실한 음악은 서로 결이 다를 수밖에 없다.

한편 동양음악의 막연한 이미지들 중 하나로 인식되고 있는 '기계적인 반복' 제스처는 서양음악에서는 결코 좋게 이

<u>47</u>　　드뷔시, 〈아라베스크〉 2번

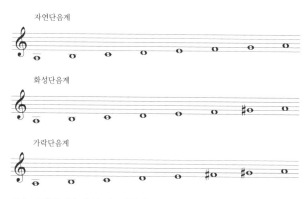

자연단음계

화성단음계

가락단음계

<u>48</u>　　아농 스케일 연습에 나오는 단음계들

53　　샤를 아농(Charles-Louis Hanon, 1819~1900)은 프랑스의 음악 교육자이자 작곡가이다. 대표적인 저서는 『명피아니스트가 되는 60개의 연습곡』으로 오늘날 『하농 교본』으로 잘 알려져 있다.

해되는 적이 없다. 그러나 동양의 음악들에서 이러한 반복 패턴은 광기의 표현이나 동기를 발전시킬 능력의 빈곤에서 오는 것이 아닌, 이슬람 미술의 한 양식인 '아라베스크 문양'과 관련된다. 아라베스크(Arabesque, 아라비아 풍) 문양은 7세기에 무함마드가 메카를 점령하고 우상들을 파괴한 후 인간이나 동물 주제의 그림을 금지하면서 탄생한 것으로 단순화된 꽃, 잎, 줄기 혹은 기하학적 문양의 변형된 단편들이 율동감 있게 반복되는 패턴이다. 이 문양은 카펫이나 커튼, 지붕 등 여러 곳에 활용되었고 오늘날에도 자주 볼 수 있다. 《세헤라자데》의 경우 여러 동기 파편들을 서양의 동기작법 방식으로 전개시키긴 하지만 아라베스크의 크고 작은 반복 패턴들이 일반적인 클래식 음악들에서보다 훨씬 더 단편적이고 촘촘하게 엮여 있는 걸 볼 수 있다. 19세기에 슈만, 드뷔시 등 많은 작곡가들 사이에 유행한 '아라베스크' 역시 장식적인 작은 모티브 패턴을 기반으로   47
엮어나가는 음악이라는 의미로 사용된다.

서양음악은 공식적으로 '동양 풍'을 환기하는 여러 요소들에 대해 신중하게 조치해왔다. 가장 익숙한 예는 서양음악이 사용하는 '단음계들'이다. 피아노를 쳐본 분들은 알겠지만 아농[53]의 음계 연습곡 39번에는 단음계가 항상 세 개씩 세트로 등장한다. 자연단음계는 원래 '에올리아 선법'에서 나왔다. 여   48
기에는 으뜸음으로 강력하게 진행하는 이끔음(leading tone)

이 없으므로, 일곱 번째 음(솔)을 일부러 반음 올려(솔♯) 만든 것이 화성단음계이다. 그리고 가락단음계는 이끔음을 조치하다 생겨버린 증2도(동양 음계를 연상시키는)를 제거한 단음계이다. 아농에 단음계가 세 개나 되는 사실에 대해 이것이 아랍, 페르시아 등 '동양음악'을 연상시키는 증2도에 대한 서양의 오랜 터부와 조심성 때문이라는 사실은 여전히 우리에게 낯설다.

서양음악이 동양을 묘사하는 방식은 미술에서 옛 아랍인들을 묘사하는 클리셰, 즉 '터번을 쓴 피리 부는 남자와 춤추는 코브라'만큼이나 아주 전형적인 음악 어법들로 그려진다. 특히 동양과 관련된 음악 언어는 중세의 종교적 대립을 통해 오랫동안 금기시되거나 부정적으로 취급되어온 언어들로 종종 '악마'를 그리는 음악 언어와 많은 이디엄을 공유하고 '색채', '마법'의 음악 언어들과도 혼재되어 쓰이곤 한다. 나아가 동양에 관한 음악 언어들이 서양음악에 있어 통상적으로 '하류 음악'의 언어로 자리해왔다는 것 역시 사실이다. 하지만 아이러니한 건 앞서 살펴 본 '동양 풍'의 여러 음악 어법들과 시타르(sitar)[54]와 같은 동양 악기의 독특한 음색이 오늘날 록, 재즈, 영화음악, 케이팝 등등 거의 모든 장르의 음악에 대대적으

---

54   류트의 목을 길게 늘린 형태의 북인도 전통악기.

로 사용되고 있으며 전 세계가 이러한 음악에 폭발적으로 열광하고 있다는 점이다. 오랜 세월 의식적으로 동양의 음악 언어를 구별하려 애썼던 서양과 달리 동-서의 관념이 없는 비서구권의 대다수에게는 오히려 서양인들이 '동양 풍'으로 치부했던 모든 요소가 클래식 음악보다 훨씬 더 자연스러운 음악 언어로 와닿기 때문인지도 모른다.

'부점'이나 '지속음'과 같은 개별적인 음악 요소들은 하나의 의미로 귀속되지 않는다. 〈마법사의 제자〉에서 '부점'이라는 특징적인 리듬 재료는 높은 음역, 빠른 템포, 코 먹은 듯한 클라리넷 음색, 현악기의 피치카토 주법 등 여러 재료들과 어우러져 풋내기의 우스꽝스러움을 묘사한다. 하지만 이 절뚝거리는 부점 리듬이 '저음역', '느린 템포', '종소리' 등의 언어들과 묶이면 관을 메고 걸어가는 상여꾼들의 발걸음을 환기하는 리듬이 된다.

　　마찬가지로 '지속음'은 느린 템포와 단순한 조표에서 새소리, 목가적인 선율, 그 밖에 종종 전원과 관련된 표제와 묶일 때는 나른하고 느긋한 분위기를 조성하는 '전원'을 묘사하는 재료가 되는 반면, 바흐의 〈토카타와 푸가 D단조〉에서 오르간의 매우 낮은 음역의 지속음(D음), 베토벤의 〈비창 소나타〉 1악장 제시부에서 수 마디 동안 옥타브 트레몰로 나오는 지속음(C음), 혹은 스트라빈스키의 《불새》 피날레의 마지막 여덟 마디 동안 등장하는 총주의 지속음(B♭음) 등은 마치 모든 것을 심연으로 끌어들이려는 '블랙홀'처럼 전원의 그림에서와는 완전히 다른 시너지를 낸다.

'열린 3화음'의 공허한 5도 음정 사운드는 '종소리'로, 전원에서 목동이 부는 '백파이프의 부르동'으로, 혹은 중세교회의 '오르가눔' 소리로 맥락에 따라 다양하게 읽힌다. 무소륵스키의 피아노 모음곡 《전람회의 그림》 중 〈옛 성〉과 〈키예프의 대문〉, 모차르트의 레퀴엠 중 두 번째 곡 〈키리에 엘레이손〉에서 '중세', '교회'를 지시하는 오르가눔 사운드로 읽어야 하는 반면, 케텔비의 〈페르시아 시장에서〉나 스트라빈스키의 〈봄의 제전〉 등에서는 오랫동안 '동양'을 표상했던 원시성이나 야만성으로 읽는 것이 적절하다.

분명 앞에서 언급한 부점, 지속음, 열린 3화음 등 각각의 음악 요소는 자신만의 특성이 있다. 하지만 '주위에 어떤 다른 음악 요소들과 묶이고 어떻게 배치되는가'의 문제를 총체적으로 음악의 '맥락'이라고 한다면, 모든 요소는 맥락 안에서 이처럼 여러 잠재성 중 상황에 맞는 자신의 용도를 드러낸다. 특히 '곡의 제목'과 악보에 있는 여러 '나타냄말'은 작곡가의 의도를 읽기 원하는 경우 많은 힌트를 제공한다. 드뷔시는 '16분음표 및 손목 교차 연습곡'이라는 말 대신 〈그라두스 아드 파르나숨 박사〉라는 독특한 제목을, 리스트는 '주제와 변주곡' 대신 〈파우스트〉와 〈메피스토펠레스〉라는 제목을 붙인다. '그라두스 아드 파르나숨'(Gradus ad Panassum, 파르나소스로 오

뒤카, 〈마법사의 제자〉

림스키코르사코프, 〈왕벌의 비행〉

림스키코르사코프, 《세헤라자데》

르는 계단)은 학문이나 예술의 정상에 오르기 위한 연마의 뜻인 동시에 바로크 시대 대위법 책(요한 푹스, 1725)의 제목이기도 하다. 여기에 '박사'라는 단어를 붙임으로써 이 과정이 매우 지루하다는 것을 풍자한 것이다. 리스트의 음악에서도 원곡의 궤도를 벗어나지 않으면서 테마의 잠재성을 이끌어내는 '변주곡'이라는 형식이 의인화되면서 파우스트의 잠재된 악마적 성향이 메피스토펠레스의 얼굴로 투영되는 걸 볼 수 있다.

한편 '선율'은 매번 다른 재료들과 결합해도 그것이 그저 하나의 '변주'로 여겨질 만큼 개성 있는 선율 그 자체로 하나의 강력한 기호일 때가 많다. 하지만 '반음 순차 진행'이나 '동음 연타'와 같이 (선율이라기보다) 기계적인 운동이나 단순 음형일 경우, 제목이 주는 암시와 주변 요소들과의 배치에 따라 여기 지시하는 바가 완전히 달라진다. 예를 들어 앞서 언급한 네 곡의 '빠른 반음 선율'은 각각의 제목에 따라 다른 메시지가 접혀 있다. 뒤카의 〈마법사의 제자〉에서의 빠른 반음계 하행은 비르투오소적 기교를 과시하는 악마적인 반음계인 반면, 림스키코르사코프의 〈왕벌의 비행〉과 《세헤라자데》의 4악장 폭풍 장면에는 각각 '벌의 날갯짓 소리'(청각 묘사)와 '파도가 오르내리는 풍경'(시각 묘사)을 묘사한다. 특히 림스키코르사코프의 〈왕벌의 비행〉은 원래 오페라 《술탄 황제 이야기》 중 2막에 백조가 벌떼의 습격을 받는 장면에 나오는 연주곡으로, 템포는

쇼팽, 〈전주곡 15번〉

비발디, 《사계》 중 〈여름〉

쇼팽, 〈전주곡 6번〉

하이든, 〈교향곡 101번〉 2악장

'아주 빠르게'(vivace) 즉 1초에 16분 음표 열두 개가량을 연주해야 하는 엄청난 빠르기인데, 반음 순차 선율을 이렇듯 매우 빠르게 연주할 경우 '벌의 날개 부비는 소리'가 되는 반면, 중년 여성의 보이스에 실어 느긋한 템포의 부점 리듬으로 연주하면 《카르멘》의 〈하바네라〉처럼 에토스에 반(反)하는 에로티시즘 언어로서의 반음계 선율이 된다.

개성 없는 기계적인 연타도 마찬가지로 맥락에 따라 다양하게 읽힌다. 200쪽 네 가지 음형 중 위의 두 음형은 일정한 동음 연타를, 아래의 두 음형은 둘씩 한 세트를 이루는 연타 형태를 띤다. 지휘자 한스 폰 뷜로는 쇼팽의 〈전주곡 6번〉에서 '강-약'의 악센트를 가지며 느린 템포로 반복되는 오른손 동음 연타에서 (표제가 없는데도) '종소리'를, 〈전주곡 15번〉에서는 '빗방울 소리'를 듣는다. 마찬가지로 우리는 비발디의 《사계》 중 〈여름〉 악장에 등장하는 현의 격렬한 동음 트레몰로에서는 '세찬 빗소리'를 듣지만, 둘씩 묶는 반복 패턴에서는 똑딱거리는 '시계 초침 소리'를 듣는다.

3 | 수사와 이야기로 읽기

음악을 들으면서 한 번이라도 '지금 이 음악이 나에게 웅변을 하고 있다' '나를 설득하려 하고 있다'는 느낌을 받은 적이 있는지 모르겠다. 모든 음악은 (그것이 아무리 순수 예술을 지향한다 해도) 그냥 혼자 존재하고 마는 것이 아니라 누군가에게 어떠한 목적을 달성하기 위해 끊임없이 말을 건다. 필자는 라디오에서 흘러나오는 베토벤의 〈비창 소나타〉 3악장을 듣던 어느 날 문득 이 음악이 나의 감정과 이성을 설득하려는 강한 '의지'가 있다는 것을 느낀 적이 있다. 이런 이야기가 낯설다면 자신이 좋아하는 음악을 떠올려봐도 좋다. 어떤 사람은 감미로운 발라드, 감성적인 재즈, 혹은 힐링을 주는 뉴에이지 음악을 좋아하는 반면 어떤 사람은 어깨를 들썩거리게 만드는 댄스 음악, 또는 파워풀한 비트의 일렉트로닉 뮤직을 좋아한다. 때로는 감미롭고 신나는 사운드보다는 구조가 견고한 음악인지를 따지는 사람들도 있다. 그리고 이들은 구성이 좋아야 좋은 음악이라고 생각한다.

그렇다. 음악은 넘쳐나고 취향은 다양하지만 특별히 각자의 입맛에 맞는 음악들이 있다. '내가 어떤 음악을 좋아하는가?'는 사실 '내가 어떤 음악에 설득당하는가?'와 같은 의미이다.

설득하는 음악

가사와 음악

음악은 아주 오래전부터 사람들의 마음을 움직이는 용도로 자주 사용되곤 했다. 기원전 10세기경 다윗이 수금을 타 사울 왕의 불안정한 마음을 가라앉힌 구약 성서 이야기는 유명하다. 하프나 기타처럼 뜯는 악기나 바이올린과 같이 줄을 활로 비벼 소리를 내는 악기, 호소력 짙은 창법은 신분의 고하를 막론하고 사람들의 정서를 사로잡았다. 고대 중동 나라들은 전쟁 시 북과 나팔 소리를 이용해 사기를 높였고 고대 로마에서는 올림픽 경기 때 원형경기장에서 대형 파이프 오르간을 연주하여 축제의 즐거운 분위기를 돋우는 등, 음악이 사람을 향해 매우 구체적인 목적으로 만들어지고 소비된 기록들이 곳곳에 남아 있다.

　　사람의 정서를 좌지우지하는 이러한 음악들이 반드시

'가사'와 동반되었던 것은 아니다. 기원전 4세기경 활동했던 그리스의 철학자 플라톤과 아리스토텔레스는 적재적소에 잘 사용하면 더없이 좋지만 때로는 듣는 이에게 부정적인 영향력을 끼칠 잠재성도 지닌 음악의 두 얼굴을 일찍부터 간파했고, 이를 '국가의 정치'와 관련지어 논했다. 플라톤은 적절한 음악이 굳센 성정을 가진 좋은 군사를 길러내는 데 교육적인 효과가 있다고 생각해서 이들에게는 특정 선법으로 된 음악을 들려줘야 하며, 어떤 선법으로 된 음악은 사람을 방탕하게 한다는 식의 언급을 한다. 그러나 각각의 선법이 어떤 메커니즘으로 사람의 정서에 작용하는지에 대한 설명은 없다(21세기인 지금도 상황은 크게 달라지지 않았다).

이러한 막연한 특성 때문에 음악은 '교훈 전달'을 예술의 가장 큰 미덕으로 여긴 서양 사회에서 오랫동안 가장 수준

---

1   19세기 철학자 쇼펜하우어의 경우 순수 기악음악을 모든 예술 중 가장 훌륭한 것으로 여긴 반면, 예술의 가장 큰 미덕을 '교훈적 메시지 전달'이라 여겼던 고대 그리스의 예술관을 받아들인 헤겔은 성악음악을 기악음악보다 미학적으로 우위에 두었다.

2   마드리갈의 가사 그리기 기법은 17세기에 오페라로 이어진다. 이것은 지금과 같은 '예술 작품은 각각 고유의 독창성을 가져야 한다'는 19세기 이후의 미학관과 달리 성가, 민요, 혹은 다른 작곡가의 음악 등 선율을 그대로 가져와 거기에 덧붙이거나 유명한 음악가의 작곡 방식을 모방하는 일이 상당히 많아 거의 공통언어처럼 다뤄졌다.

낮은 예술로 취급 받았고 '텍스트의 시녀'(성악음악의 가사 전달을 돕는) 역할에서 좀처럼 벗어나지 못했다.[1] 즉 교회에서나 세속에서나 기본적으로 음악은 (기악음악이 아니라) 성악음악이었다. 중세 교회에서 불린 그레고리오 성가만 보더라도 사도 신경(credo)과 봉헌송(offertorium), 부활절과 성탄절에 불린 찬미가들이 가사만 다를 뿐 서로 구분이 안 될 정도로 선율과 리듬이 단조로운 걸 볼 수 있다.

음악은 전쟁과 전염병으로 교회의 영향력이 약해진 13세기 이후 가사 표현에 점점 적극성을 띠게 된다. 가사 그리기(tone painting)의 본격적인 첫 시도는 르네상스 시기에 유행한 마드리갈에서 이뤄졌고, 이후 바로크 시대의 각종 음악극이나 오라토리오에서 가사 그리기에 대한 관용 표현들이 일종의 국제 공통언어처럼 유럽 각지에서 사용된다.[2] 그것이 앞서 살펴본 '눈물음형'이나 헤어진 연인을 향한 괴로움을 담은 '불협화음', 혹은 에덴동산에서 하와를 유혹하는 뱀의 '꿈틀거리는 반음 선율' 같은 것들이다.

그러나 만약 음악이 지금까지도 명확한 텍스트와 동반되어야만 하는 굴레를 벗어던지지 못했다면 음악 그 자체를 어떤 식으로 운용할 것인지의 문제는 여전히 관심 밖이었을 것이다. 가사 없는 '음악 그 자체'로만 된 음악을 '순수음악'이라고 한다면, 순수음악은 태양 왕 루이 14세(1683-1715)의 강력한 예술 후원 정책으로 인해 처음으로 활성화되기 시작했다. 그의 재임 시절 '현악 오케스트라'가 유럽 최초로 결성되었고 이 무렵 한 옥타브의 12반음의 간격을 규격화한 '평균율'이 발명되면서 훗날 악기의 제왕으로 불리는 피아노가 초창기 모습을 드러내게 된다. 지롤라모 프레스코발디[3]와 같이 (성악음악을 전혀 작곡하지 않는 대신) 건반악기 음악을 수많은 형식과 구성으로 실험한 작곡가 겸 연주가의 출현도 기악음악 발전에 지대한 영향을 미쳤다. 이 무렵 현재 우리가 클래식이라 일컫는 전주곡, 푸가, 리체르카레, 소나타, 샤콘느 등 거의 모든 형식이

3　　지롤라모 프레스코발디(Girolamo Frescobaldi, 1583-1643)는 기악음악에 집중하여 국제적 명성을 얻은 최초의 작곡가로, 기악음악을 성악음악과 동등한 수준으로 끌어올리는 데 공헌하였다. 그의 음악은 아이디어를 제시한 후 그를 바탕으로 전개한다는 점에서 종종 '연설'에 비유되었다. 세 개의 오르간 미사로 된 〈음악의 꽃〉(1635)을 비롯해 〈판타지아〉, 〈리체르카레〉 등 많은 기악음악을 남겼다.

4　　'수사'(修辭)는 '말이나 글을 다듬고 꾸며서 보다 아름답고 정연하게 하는 일'로서, 수사학(rhetoric)은 언어로 청중을 설득하는 기술을 연구하는 학문이다. 언어의 연금술로 불리는 서양의 수사학은 처음에는 권력, 돈, 완력 대신 '말'로 상대를 설득하는 민주정을 지향했던 고대 그리스의 아테네에서 꽃을 피웠다. 예를 들면 스파르타 앞에 겁먹은 시민들에게 강경한 의지를 피력했던 페리클레스, 법정연설에서 명료하고 간결한 문체로 두각을 나타낸 뤼시아스, 의회연설의 대가였던 데모스테네스 등, 민주정 속에 일찍이 수사학의 중요성이 대두된 아테네에 여러 위대한 연사들이 배출되면서 서양 사회에서 수사학의 위상은 자연스럽게 매우 높아졌다.

구축된다.

수사학과 소나타

기악음악이 성악음악만큼 주목받게 된 이러한 전무후무한 분위기 속에서도 가사 없는 음악의 막연성은 여전히 남아 있다. 만약 당신이 그 시대의 음악가였다면 공중에 던져진 일련의 소리들로 된 순수음악을 어떤 식으로 '메시지가 담긴' 소리 구조물로 엮어낼 수 있을까? '이런 선율은 이런 뜻'이라는 매뉴얼이라도 만들어야 할까?

기악음악은 이 문제의 해결책을 찾는 데 있어 당시의 사회 분위기에 영향을 받았다. 이때는 교회가 정치, 사회, 역사 등을 장악했던 중세를 지나 인본주의가 꽃피고 데카르트와 같은 사상가들을 비롯해 갈릴레오와 같은 과학자들이 대거 등장하여 거의 모든 분야에서 급속한 발전이 이루어진 시기였다. 그리고 그 바탕에는 '그리스로 돌아가자'는 구호가 있었다.

텍스트 없는 음악이 찾은 길은 바로 '그리스의 수사학'이다. 17세기 무렵 시작되어 18세기에 대두된 '음악수사학'은 순수음악을 고대 그리스의 수사학과 연계했다.[4] 이 방식은 그때까지 유행해온 마드리갈이나 음악극에서의 아이디어처럼 '지진'이라는 단어를 트레몰로[5]로 처리하는 식의 지엽적인 묘사를 넘어 청중의 감성과 이성을 효과적으로 설득하는 잘 짜인 논설문, 혹은 연설문의 형태로 구축하는 것이었다(물론 이것은 '기보법'과 '인쇄술'의 발전이 전제되었기에 가능했다).[6] 여기에는 그리스 수사학 기법을 음악에 적용했을 때 듣는 이를 훌륭하게 설득할 수 있는 방법적 토대가 될 수 있다는 생각도 있었지만, 서구 사회에서 높은 위상을 가진 수사학과의 연계를 통해 늘 텍스트 아래 시녀 노릇해왔던 하위 예술인 음악의 위상을 높여 보려는 욕망도 들어 있었다.

'음악수사학'이란 개념을 처음 고안해낸 건 르네상스 후기 독일의 작곡가이자 음악 이론가 요아힘 부어마이스터이다. 그는 총 스물일곱 개의 음형(figure)을 분류하고, 음형의 명칭은 대부분 그리스 수사학 용어들을 그대로 사용했다. 이어 바로크 시대에는 본격적으로 토마스 베른하르트, 요한 니콜라우스 포르켈, 아타나시우스 키르허 등의 이론가가 음악수사학을

---

5   트레몰로(tremolo). 현악에서 활을 위아래로 빠르게 움직여 동음을 연속해서 내는 주법.

6   작곡가, 지휘자, 음악이론가 등 다방면으로 활동했던 독일의 마테존은 자신의 저서 『완전한 악장』(*Der vollkommene Capellmeister*, 1739)에서 '기악음악은 음의 연설'(Tone-Sprache)이라는 주장을 처음으로 펼친다.

7   여기에는 그리스 수사학에 들어 있지 않은 순수 음악 기법들(예를 들어 '카논 기법')이 포함된다.

위한 90여 종의 음형을 정리한다.[7]

　　음악수사학자들이 그리스의 수사학을 바탕으로 음악에 접근한 것은 공통적이지만 초점은 조금씩 다르다. 마테존이 템포, 음정, 조가 지닌 성정을 언급하면서 (예를 들면 '다장조'는 '무례하나 기쁨을 전달하는 조') 음악이 지닌 정서 전달에 좀 더 관심을 두었다면, 18세기에 음악수사학 이론을 최종 집대성한 포르켈은 '모티브의 유기적 전개'와 '화성에 의한 논리적 구축'에 초점을 맞춘다. 또한 연설문에서의 용어나 문장 구사, 연사의 발화 테크닉 등의 기술을 다루는 음형이론이 있는가 하면 연설문의 효과적인 테마 설정, 단락의 구성과 배치 등 구조적인 차원을 다루는 음악수사학도 있다.

　　이 책에서 당시의 음형이론들을 자세히 소개할 수는 없지만 연사의 수사 기법을 음악에 적용한 흥미로운 예들을 몇 가지 잠깐 살펴보면, 수사학에서의 '생략'(ellipsis)은 연사의 감정이 너무나 격해져서 말을 미처 끝맺지 못하고 멈췄다가 갑자기 완전히 다른 얘기로 넘어가는 쇼맨십을 발휘하는 기법이다. 이것이 음악에 적용될 때는 음악이 진행되다 갑자기 멈춘 후 완전히 새로운 선율을 선보이거나 또는 너무 격한 감정 때문에 종지의 정상적인 맺음을 잊은 듯 낯선 종지를 사용하는 식으로 나타난다. 예를 들면 슈베르트의 〈교향곡 8번〉 1악장에는 서정적인 선율이 점점 잦아들다가(decresc.) 한 마디 동

OI 슈베르트, 〈교향곡 8번〉 I악장 중 수사학의 '생략'이 적용된 부분

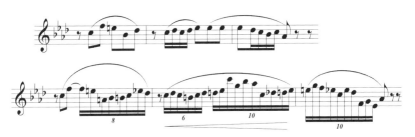

O2 쇼팽, 〈발라드 4번〉 중 원 주제(위)와 상세 진술(아래)

8 이러한 논의는 마치 이론이 먼저 완성된 후 소나타 이론에 끼워 맞춰진 것으로 오해될 여지가 있다. 소나타 형식이라는 포맷을 처음으로 구축한 하이든이나 소나타 형식의 잠재성을 다방면으로 실험하고 완성한 베토벤이 반드시 수사학 이론을 일대일로 적용하여 작곡한 것은 아니다. 음악수사학을 배웠든, 아니면 과거의 음악들을 익히면서 자연스럽게 거기 녹아 있는 수사학적 이디엄들을 체득했든 간에 이론과 작품 중 어느쪽이 원인과 결과라기보다는 상호 작용하는 것으로 보아야 한다.

9 소나타는 보통 I악장이 '소나타 알레그로 형식'으로 되어 있는 3-5악장들의 모음을 총칭한다. 이 책에서는 주로 소나타 I악장의 형식인 '소나타 형식'(sonata form)에 적용된 수사적 설득 방식을 다룬다.

안 완전히 침묵한 후 청중이 예상치 못한 전혀 다른 이야기(갑자기 두터운 화음이 *ff*로 등장)로 넘어가는 부분이 나온다. 또한 수사학에서 '디스트리부티오'(distributio), 즉 '상세한 진술'은 처음에 주제를 단순하고 거칠게 언급한 후 나중에 말 그대로 자세한 설명을 덧붙이는 것이다. 예를 들어 쇼팽의 〈발라드 4번〉에 나오는 주제선율은 뒤에서 다시 등장할 때 선율, 리듬, 화음, 셈여림 등이 보강되어 원 주제를 더 상세하고 풍부한 내용으로 풀어낸다. ₀₂

　　'소나타'(sonata)는 여러 기악음악 중 수사학을 가장 충실히 내면화한 클래식의 아이콘과 같은 음악이다. 제목은 보통 '○번, ○악장, 작품번호 ○'로 되어 있어 소나타를 처음 듣는 감상자는 감정이나 그림에 대한 힌트 하나 없는 이 음악에서 무엇을 어떻게 들어야 할지 전혀 감이 오지 않겠지만, 소나타는 (물론 감정, 감각, 정서를 설득하는 일을 배제하지는 않는다.) 근본적으로 논리적 설득을 위해 짜인 한 편의 논설문과 같은 음악이다.[8]

　　이 책에서는 소나타 형식(이하 간단히 '소나타'로 표기)을 중심으로[9] 순수 기악음악이 무엇을 주장하려 하는지, 그리고 훌륭한 연설문의 구조를 통해 이 주장을 어떤 식으로 설득력 있게 입증해나가는지 살펴보고, 후반부에는 이러한 모든 음악수사학 이론들을 '서사'로 녹여낸 소나타를 통해 음악 속 연사가 무슨 이야기를 들려주고 있는지 살펴볼 것이다.

음악의 연설

수사학에는 기본적으로 다섯 가지 요소가 있다. 첫째는 '무엇을 말할 것인가?'(주제설정법), 둘째는 '어떻게 효과적으로 조직, 배치할 것인가?'(배열법), 셋째는 '효과적인 설득을 위해 어떤 기술을 사용하여 표현할 것인가?'(미사여구법), 넷째는 '전달할 내용을 어떻게 기억할 것인가?'(기억술), 마지막은 '어떻게 전달할 것인가?'(전달법)이다.

주제의 설정

음악-연설을 위해 제일 먼저 해야 할 것은 주제를 만드는 일이다. 다음의 푸가와 소나타 주제들을 살펴보자. 바흐의 〈푸가 D♯ 단조〉의 주제 선율은 맨 처음 5도를 도약한 후 잠시 멈췄다

Allegro con brio.

Allegro maestoso.

Allegro inquieto.

03 (위에서부터) 바흐, 〈푸가 D#단조〉(1722),
하이든 〈소나타 5번〉(1780), 쇼팽 〈소나타 3번〉(1844),
프로코피예프 〈소나타 7번〉(1942)의 주제

04 베토벤, 〈교향곡 5번 '운명'〉에 나오는 주제 선율

가 순차 진행으로 흐르는 선율의 모양새가 인상적이다. 하이든의 〈소나타 5번 C장조〉의 주제는 못갖춘마디의 부점 리듬으로 ⁰³ 경쾌하게 C장조의 화음선을 따라 올라가 동음을 세 번 스타카토 한 후 꾸밈음이 나타나는 등, 전체적으로 새소리 같이 명랑하고 아기자기하다. 반면 쇼팽의 〈소나타 3번 B단조〉의 주제는 처음부터 한 옥타브를 넘는 빠르고 강렬한 하행으로 시작된 후 뒷부분에서 급격히 상행해 포르티시모로 가장 높은 음을 내며 전체적으로 비장한 느낌을 풍기고, 프로코피예프의 〈소나타 7번〉의 주제는 임시표가 많이 붙어 조성이 모호한데다 선율 방향이 자주 바뀌고 도약 간격이 점차 넓어지면서 불안정한 인상을 주며, 앞의 주제들이 노래와 비슷했다면 이 주제는 음정이 불분명하고 리듬이 강조된 타악기 비슷하다.

'대비적인', '새소리 같은', '비장하고 슬픈 감정의', '리듬이 강렬하고 어딘가 불안한' 같이 음악의 주제들은 보통 우리에게 어떠한 인상을 남긴다. 반대로 개성을 드러내기에는 너무 짧고 단순한 패턴으로 된 주제들도 있다. 예를 들면 베토벤의 〈교향곡 5번 '운명'〉의 주제, 혹은 기계적으로 3도씩 떨어지 ⁰⁴ 는 단순한 아이디어로 된 브람스의 〈교향곡 4번〉 주제 같은 것 ⁰⁵ 이다.

개성이 느껴지든 다소 기계적인 패턴으로 되어 있던 간에 주제는 푸가나 소나타에서 (짧은 도입부가 있는 경우를 제

05 브람스, 〈교향곡 4번〉 I악장 주제 선율 'b–g–e–c–a–#f–#d–b'은 3도 하행이라는 단순 패턴으로 구상되었다.

주제(S)

대주제(CS)

06 바흐, 〈푸가 D#단조 BWV 853〉의 주제(S)와 대주제(CS)(위)와 대비적인 윤곽(아래)

10 음악에서 모티브(motif, motive)는 주제 선율에 담긴 보다 작은 단위의 특징 있는 요소들을 가리킨다. 그것은 독특한 음정, 인상적인 리듬, 표현적인 화음 등 다양할 수 있다. 하나의 주제 선율에는 보통 두세 가지의 모티브가 들어 있다.

11 「용어 설명」'7. 푸가' 참고.

외하고는) 맨 앞에 제시된다. 소나타 형식이 아니더라도 테마가 앞에 등장하는 음악이 있지만 그러한 제스처가 소나타의 경우처럼 뒤에서 전개해나갈 여러 모티브[10]를 품고 있는 주제를 화두로 던져 이후 이것을 논하고 풀어나갈 목적인 것은 아니다. 이것은 음악을 한 편의 연설로 바라보는 소나타와 같은 음악에서나 자연스러운 것이다.

하나의 주제를 제시했다면 이 주제를 돋보이게 만들 대비적인 성격의 또 다른 주제를 만들어 제시할 수 있다. 이것은 수사학에서 대조, 대비를 뜻하는 'antithesis'로 푸가[11]의 주제(subject)에 대비적인 대주제(countersubject), 혹은 소나타의 1주제에 대비적인 2주제에 해당된다. 예를 들어 바흐의《평균율 클라비어곡집》중 'D#단조' 푸가에 나오는 주제(이하 S)와 대주제(이하 CS)의 선율은 마치 양각과 음각처럼 움직인다. 즉 S의 음정 도약이 크거나 음가가 짧을 때 CS는 제자리에 머물러 있거나 긴 음가가 나오고, S가 하행하면 CS는 상행하는 식이다. 무엇보다 CS는 독자적인 주제로서도 손색이 없게끔 거의 대등하게 설계되어 있는 것을 볼 수 있다. CS는 S의 정체성을 침해하지도, 그렇다고 종속되지도 않는 선에서 둘 사이의 미적인 조화와 대비를 꾀한다.

바로크 시대 바흐의 푸가에서 'S-CS'가 주로 '양각-음각'의 대비라면 고전시대 베토벤 소나타의 '1주제-2주제'는 미

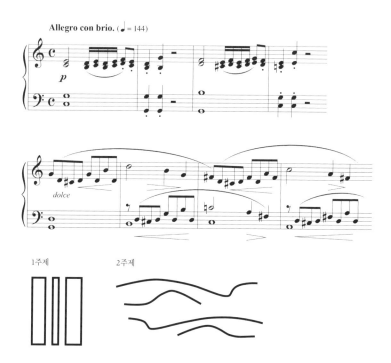

07   베토벤, 〈피아노 소나타 3번〉 1악장. 1주제와 2주제의 대비적 짜임새

12   소나타의 두 주제가 처음부터 이렇게 확실한 성격적 대비를 지녔던 것은 아니다. 스카를라티나 하이든의 초기 소나타는 거의 단 하나의 주제(하나의 주장)로만 음악이 진행되며, 2주제는 있어 봤자 1주제에 곁들이는 부주제 수준에 그친다. 모차르트로 가면 두 주제의 대비성이 좀 더 심화되지만 2주제는 1주제에서 파생된, 혹은 1주제를 보완하는 성격에서 크게 벗어나지 않는다.

13   19세기 음악학자 아돌프 마르크스는 『음악 작곡법』(*Die Lehre von der musikalischen Komposition*, 1845)에서 처음으로 소나타의 두 주제를 각각 '남성적 주제'와 '여성적 주제'라 일컬었다.

적인 대비를 넘어 훨씬 더 강한 성격적 대비를 지닌다.[12] 다음 07
의 악보와 다이어그램은 베토벤의 〈피아노 소나타 3번〉(1796)
에 나오는 두 주제(1주제와 2주제)를 직관적으로 도식화해본
것이다. 소나타에서 1주제는 대체로 두터운 짜임새의 호모포
니(homophony, 수직 화음형)가 강한 어조(f)로 제시되는 반
면, 2주제는 보다 얇은 짜임새의 폴리포니(polyphony, 다층의
선율형)가 여리고 부드러운 어조(p)로 제시된다. 즉 1주제는
전체적으로 씩씩하고 힘찬 반면 2주제는 부드럽고 감상적인 분
위기를 띠는 식의 성격적인 대비를 보인다.

　　붉은 색과 녹색, 빠름과 느림, 양각과 음각이 서로 투쟁
한다고 말하기는 어렵듯이 춤곡의 A와 B, 혹은 소나타의 전신
으로 알려진 푸가의 S와 CS 사이에는 딱히 이분법적 투쟁이나
성격적 대조가 없다. 이는 조의 측면에서도 그렇다. 푸가에 제
시되는 CS는 독립적인 선율이면서도 S의 조성 안에 머무른다.
반면 고전시대 소나타의 2주제는 1주제와 완전히 다른 조로 제
시된다. 이처럼 푸가의 주제들과 달리 모든 면에서 뚜렷한 대비
적 성격을 지닌 소나타의 두 주제가 시간의 구조 속에 배치될
때 여기에는 '대립', '투쟁'과 같은 서사의 가능성이 생겨난다.
두 주제의 투쟁 구도는 보는 사람에 따라 빛과 어둠, 문화와 자
연, 이성과 감정, 정신과 육체, 남성과 여성[13] 등 온갖 이분법적
구도로 읽힐 수 있다.

배열법

반복과 변형

소나타를 비롯한 순수 기악음악은 '반복' 기법을 대대적으로 사용한다. 앞에서 집요한 반복이 주로 '광기'와 관련된 감정이나 '무한한 시간성'을 묘사하는 제스처였던 것과 달리, 청중을 설득하기 위한 수사학의 배열법 관점에서 '반복'은 음악에 합리적인 구조를 만들어내는 중요한 원리가 된다.

서양음악사의 가까운 시발점으로 볼 수 있는 중세 교회 그레고리오 성가들에는 모티브나 주제의 개념도, 반복도 없어 임의적인 음들의 나열 방식으로밖에 들리지 않는다. 이후 음악에서 (구조라는 거창한 것을 생각하기 전에) 한 사람이 노래하면 다른 사람이 조금 뒤에 똑같은 선율을 따라 부르는 돌림노래, 혹은 작은 단편을 여기저기 비슷하게 반복하는 모방(카논, canon)이 노래 음악에 등장한다. 이것은 시간이 흐르면 팔레스트리나의 다성 성가처럼 여러 성부 간에 선율을 모방, 반복하는 복잡한 형태로 발전한다.

카논이 노래에 등장했다면, 기악음악에서의 반복은 춤곡에서 시작된다. 춤곡의 경우 A와 B를 각각 반복하거나 다시 A로 돌아오는 식으로 몇몇 선율이 반복적으로 나타난다. 이것은 이탈리아어로 '되돌아오다'라는 뜻의 '리토르노'(ritorno)에서 나온 리토르넬로(ritornello)로 발전하여 음악에서 반복적으로 등장하는 주제를 가리키게 되는데, 우리나라 민요의 매기고 받는 부분 중 다 같이 부르는 '받는' 부분과 같은 일종의 후렴구다. 특히 17세기 이탈리아 작곡가 주세페 토렐리와 18세기 비발디가 바이올린 협주곡을 비롯해 수많은 작품에서 독주의 에피소드들 사이에 오케스트라가 다 같이 나오는 총주 부분에 이 리토르넬로를 본격적으로 활용하게 된다. 예를 들어 비발디의 가장 유명한 바이올린 협주곡《사계》중 악보의 유명 ○8 한 선율이 '봄' 1악장 전체의 리토르넬로 역할을 한다.

바흐의 경우 푸가의 주제와 대주제를 일종의 작은 리토르넬로처럼 통일성에 기여하는 반복 요소로 사용한다. 앞서 살펴본 바흐의 〈푸가 D#단조〉 시작 부분으로 돌아가보자. 응답 (R)은 일종의 돌림노래처럼, 단지 완전5도 위(혹은 완전4도 아 ○9 래)에서 주제(S)를 모방하며 뒤따른다. 주제(S)와 응답(R)의 모양은 조를 옮기는 데서 발생하는 문제에 따라 한두 음의 손질을 필요로 할 뿐 사실 거의 동일한 반복으로, 맨 처음 나온 형태가 다른 음 높이에서 곧바로 모방(반복)된다는 점에서 대부분의 푸가는 불과 네 마디쯤 진행될 때 이미 음향적 논리를 확보하는 셈이다.

푸가의 주제보다 훨씬 짤막한 몇 개의 음으로 된 선율 단편이 여러 성부에서 유사한 형태로 끊임없이 나오는 카논 기

o8   비발디, 〈사계〉 중 '봄' 악장에서 반복되는 부분(리토르넬로)

o9   바흐, 〈푸가 D#단조〉의 주제(S)와 대주제(CS)

IO   슈만, 〈크라이슬레리아나〉 전주부

14   음악학자 보 알폰스는 슈만의 특징적인 이러한 진행을 '톱니 모양 진행'(wedge-like progresstion)이라 명명했다. 또한 음악학자 피터 키비는 음악에서의 반복을 '페르시안 카펫 문양(아라베스크 문양)'에 비유하면서 음악을 응집성 있는 소리 구조물로 구축하는 데 '반복'이 중요한 원리임을 통찰한다(이미배, 「"푸가와 캐논적 정신"': 슈만 음악에서 반복의 의미에 대한 고찰」, 『음악과 문화』 제 31호 세계음악학회, 2014, 171–95쪽 참조).

법은 푸가에만 한정되지 않고 소위 '클래식'이라 불리는 거의 모든 기악음악 속에 구조를 만드는 장치로 자리잡았다. 예를 들어 슈만의 〈크라이슬레리아나〉 전주부에는 유사한 음형들 10 이 마치 톱니바퀴가 끊임없이 맞물리듯 진행된다.[14] 이처럼 반주부에 등장하는 작은 단편형이 곡 내내 반복되는 제스처만으로도 구조적인 설득력을 갖게 된다.

　　실제 음악에서 반복이 사용될 때는 (그것이 아무리 통일성의 논리를 확보하는 것이라도) 똑같이 세 번 이상 반복하는 것은 미적으로 좋지 못하므로 대부분 변형된 형태의 반복을 추구한다. 주제 선율 전체, 혹은 선율에 들어 있는 특징적인 모티브들을 변형-반복하는 방법은 다양하다. 우선 퍼즐놀이를 하듯이 선율을 상하-좌우로 뒤집거나 음가를 두 배 확대 또는 축소하는 아이디어가 있다. 바흐의 푸가에서 S와 CS는 종종 180도 좌우반전(역행, reverse), 상하역전(전위, inversion), 11 혹은 음가가 두 배 확대/축소된 형태로 등장한다. 바흐의 푸가는 이처럼 S-CS에서 파생된 거울형, 전복형, 두 배 축소·확대형 등의 퍼즐들을 재료 삼아 하나 이상의 성부가 포개질 때 수직(화음)-수평(선율)의 씨실 날실을 엮어나간다. 뿐만 아니라 푸가에는 한 성부에서 주제 선율이 끝나기도 전에 다른 성부가 맞물려 나오면서 유유하게 흘러가던 음악에 급류를 형성하는 '스트레토'(stretto, 이탈리아어로 '좁은' 혹은 '긴박한'이라는

주제(S)

대주제(CS)

S와 CS의 좌우 반전형

주제(S)

대주제(CS)

C와 CS의 상하 역전형

S의 두 배 확장, S의 두 배 축소

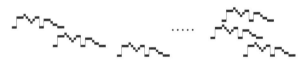

푸가의 스트레토 구간

바흐, 〈푸가 D#단조〉의 여러 구성

뜻) 구간이 있다. 푸가에서 일종의 클라이맥스를 형성하는 스트레토 역시 '반복'의 원리를 활용한다.

베토벤의 〈피아노 소나타 27번〉에서도 선율 동기의 음가가 두 배로 점점 늘어나며 여러 성부 간 모방하면서 변형-반복된다. 베토벤의 〈교향곡 5번〉 '운명' 1악장에는 동기들이 곡 전체에 대대적으로 등장한다. 모양을 보면 동기 a와 약간의 변형이 생긴 a′, 변형된 동기를 다시 전위시킨 a′-inversion 및 역행시킨 a′-reverse의 유사한 네 가지 퍼즐만으로 첫 부분의 60여 마디가 구축되어나간다.

베토벤의 〈현악사중주 15번〉 2악장에는 세 개의 동기가 등장한다. 동기 1은 선율이 점점 올라가는 형태, 동기 2는 첫 음이 2분음표로 지속되다가 꼬리 부분이 내려가는 형태, 동기 3은 선율이 내려갔다가 반음 올라오는 형태다. 도입부는 〈교향곡 5번〉에서와 마찬가지로, 마치 집을 짓는 데 세 종류의 벽돌들이 이리저리 조합되어 쌓아 올려지듯이 고작 세 개의 음으로 된 별 특징 없어 보이는 세 동기가 조금씩 변형되고 서로 이리저리 모이거나 흩어지는 운동만으로 첫 열일곱 마디를 구축해나간다. 베토벤은 이처럼 특징적인 테마랄 것도 없어 보이는 작고 단순한 동기의 대비와 반복을 근간으로 점점 변형, 발전시켜나간다. 이 동기들은 종종 어떤 몸체로부터 떨어져 나온, 아직 파악되지 않는 작은 무작위의 퍼즐 조각들처럼 보임

12 　베토벤, 〈피아노 소나타 27번〉 1악장. 선율 음가가 두 배로 점점 늘어난다

13 　베토벤, 〈교향곡 5번〉에 나오는 동기 a와
　　여기서 파생된 전위형 및 역행형

14 　베토벤, 〈현악사중주 15번〉 2악장에 나오는 동기들

15 　음악학자 디터 들라모테는 베토벤의 건축적 구성 작업을 '일하는
　　조립기사' 혹은 '해부용 칼'에 비유한다(『대위법』, 음악춘추, 2013, 385쪽).

에도 불구하고 이처럼 치밀한 직조를 통해 점점 규모 있는 덩어리로 구축되어 궁극적으로는 설득력 있는 클라이맥스와 결론을 향해 간다.[15]

　　곡 전체를 주제가 품은 동기의 반복과 변형으로 전개해 나가는 이러한 '동기 작법'은 이미지적인 표제가 없는 고전시대 기악음악의 대표적인 작곡 방식이다. 주제 선율(혹은 모티브들)은 근본적으로 싹을 틔우고 줄기를 내는 잠재성을 지닌 '씨앗'에 비유된다. 이것은 주제가 지닌 어떤 가능성을 드러내 보여주면서 반복되기에 훨씬 더 풍부한 음악적인 뉘앙스를 만들어낸다.

　　반복의 원리를 이용해 우리를 훌륭하게 설득하는 음악들은 모티브의 기계적인 해체와 조립 작업을 넘어 좀 더 큰 차원에서 메아리와 같은 반복을 들려준다. 예를 들어 앞서 언급했던 비발디의 《사계》에 등장하는 리토르넬로들은 똑같이 반복되는 경우가 없다. 즉 전체의 머리 부분이나 꼬리 부분 등 일부만 반복되거나 조를 옮겨서 반복되고, 혹은 화음이나 음계를 바꾸어 정서를 변화시키거나, 하나의 리토르넬로를 구성하는 하위 부분들의 배열 순서나 조합을 바꾸는 등 언제나 원형(original form)과 조금씩 차이를 만들면서 반복된다. 쇼팽의 〈발라드 4번〉의 경우 테마는 여러 변형된 반복을 거듭하다가 마지막에는 몇 번의 필터를 거친 추상화처럼 리듬, 선율, 화성,

15 비발디, 〈사계〉 중 '가을'의 리토르넬로 일부와 그 변형들

16 쇼팽, 〈발라드 4번〉 원 테마와 메아리

17 슈베르트, 〈교향곡 8번〉의 여러 동기들

템포, 다이내믹 등이 대략의 주제의 잔상만 남긴 채 완전히 풀어진다. 작은 한숨처럼 시작되는 모차르트의 〈교향곡 40번 G단조〉 1악장 주제 선율은 저음부의 강력한 총주로 상당히 의기양양해지기도 하고, 회상을 하듯 선율을 주고받는 바이올린과 목관에서 주제 선율이 들려오기도 한다. 슈베르트 〈교향곡 8번〉 1악장의 여러 동기들 역시 곡 내내 어디선가 메아리친다. 저음부에서 매우 작은 소리로(*pp*) 등장했던 첼로와 콘트라베이스의 선율은 뒤에서 매우 강하고(*ff*) 넓은 음역의 총주로 확장되거나 다른 악기(트롬본)의 목소리로 등장하고, 혹은 부점 오스티나토가 되어 배경으로 깔리기도 한다. 이것은 앞서 언급했던 퍼즐이나 조립과 같은 기계적 작법이 나타나는 곡들이라고 예외는 아니다. 베토벤의 교향곡들은 흔히 1악장에 나왔던 인상적인 모티브들이 다른 악장에서도 메아리치듯이 계속 등장하면서 곡 전체가 유기적으로 연결되어 있는 인상을 준다.

음악에서 메아리와 같은 무수한 잠재적 반복은 일종의 시적 반복이다. 시적인 반복은 마치 공기처럼 그 곡의 곳곳에서 들려온다. 오히려 원형에서 어떤 식으로 변형이 가해진 것임을 논리적으로 설명하기 어려울 때도 있다. 모티브의 한 음, 혹은 악센트가 들어가는 지점을 약간 변형시켰을 뿐인데 전혀 새로운 주제가 등장한 것처럼 들리는가 하면, 반대로 여러 음이 달라졌음에도 주제로부터 나온 메아리인 것이 즉시 이해되는 경우도 있다. 시적인 반복, 시적인 변주들은 주제의 특성을 해치거나 구성을 방해하기는커녕 더욱 내밀하고 깊이 이해할 수 있도록 한다.

조적 논증을 위한 배열

앞에서 소나타의 1주제는 '으뜸조 상에서' '맨 앞에' 제시되어 앞으로 논할 주제를 화두로 던졌다. 그리고 주제 선율이 품은 몇몇 특징적인 모티브는 해체되고 조합되면서 여러 '변형된 반복'을 통해 음향의 기본적인 논리를 확보했다.

여기서 다루려는 음악수사학의 배열법은 음악에만 있는, 그중에서도 소나타와 같은 기악음악만이 필요로 하는 독특한 배열법으로 조(key)를 논증하기 위해 효과적으로 섹션들을 배열하는 문제에 관한 것이다. 좀 더 구체적으로 말해서 "이 소나타가 X조(으뜸조)로 되어 있다"는 주장을 뒷받침하기 위해 여러 섹션을 적절히 구성, 배치하는 것이다(예를 들면 앞서 나왔던 베토벤 〈피아노 소나타 3번〉의 경우 1주제가 C장조로 제시됨으로써 '이 소나타는 C장조로 된 음악이다'를 주장한

---

16   순정률은 피타고라스 조율에서 불협화 음정으로 간주하는 5:4(장 3도) 혹은 5:3(장6도)의 비율도 활용하여 도출하기 까다로운 음정들을 간단한 정수비로 조율한 것이다.

것이고, 뒤에서는 이 소나타가 정말 C장조로 되어 있다는 것을 논증하는 과정을 거쳐야 한다).

　　소나타가 자신의 조적 정체성을 입증하는 과정을 살펴보기 전에 이런 생각이 들 수 있다. C장조면 C장조고 G장조면 G장조지, 소나타는 굳이 왜 조를 입증해야 될까? 사실 자명한 것은 자신을 입증하려 애쓸 필요가 없다. 자연 배음들의 어울림을 바탕으로 조율하는 순정률[16]을 사용하던 시대에는 서로 깨끗하게 어울리는 음들만을 사용했으므로 애초에 '내가 X조로 되어 있다'는 주장이 필요하지 않았다. 예를 들어 르네상스 작곡가 팔레스트리나의 〈고통의 성모 마리아〉(1554)를 들었을 때 이 화음 저 화음이 다소 뜬금없게 나온다고 느꼈다면 잘 들은 것이다. 이 곡에서는 조가 잘 느껴지지 않는다(한마디로 조적 일관성이 없다). 다양한 음악어법들의 춘추전국시대였던 1600년 무렵 이렇게 특정 조 없이 부유하는 것으로 들리는 음악들이 많았는데, 소리에 대한 유일한 원칙이 있다면 바로 '깨끗하고 명확하게 공명되는 3화음들'만을 선별해 썼다는 점이다. 즉 항상 검은 건반을 'c♯, f♯, g♯, e♭, b♭'으로만 조율했던 관습 때문에 여기서 나올 수 있는 깨끗한 3화음(4:5:6)들만을 골라 임의로 배열했다고 생각하면 간단하다.[17] 즉 어울림이 좋지 않은 화음들은 애초에 배제했으니 울리는 소리들에 대한 논리적 입증을 할 필요가 없었던 셈이다.

18   팔레스트리나, 〈고통의 성모 마리아〉

17   디터 들라모테, 『화성학』(음악춘추, 2011), 18–20쪽. 예를 들어 이러한 조율상에서 B–장3화음은 'b–e♭–f♯'이 되어 A–장3화음 'a–c♯–e'와 같은 4:5:6의 깨끗한 울림이 나지 않으므로 사용되지 않는다.

18   〈평균율 클라비어곡집〉(Das wohltemperierte Klavier)은 스물네 개의 장조와 단조로 된 총 48개의 전주곡과 푸가 모음곡집이다. 총 두 권으로 되어 있으며 1권은 1721년, 2권은 1741년에 출판되었다. 바흐의 이 평균율 곡집은 흔히 음악의 구약성서로, 베토벤의 서른두 개의 소나타는 신약성서로 비유되곤 한다.

그러다 17-18세기 무렵 건반악기가 발전하면서 평균율 (equal temperament)이 등장한다. 평균율은 한 옥타브를 공평하게 열두 간격으로 나누는 것으로 오늘날 악기를 조율할 때 피아노를 비롯해 가장 일반적으로 이 조율법을 쓴다. 평균율은 바흐의 푸가와 고전시대 소나타가 활발한 조적 실험이 가능하도록 기반을 마련했으나, 동시에 그 음악의 조를 입증할 필요를 발생시켰다. 즉 평균율은 음들의 간격이 동일하므로 어떤 3화음을 눌러도 서로 적당히 어울리고 전조가 자유자재로 이뤄질 수 있다는 큰 장점이 있는 반면 (옥타브를 제외하고는) 어떤 3화음도 완벽히 어울리는 경우가 없어 그 음악이 어느 조 위에서 흐르는 음악인지를 '구성'을 통해 보여줄 필요가 있었던 것이다.

순정률 시대의 음악들이 조율법에 맞는 3화음들을 임의로 나열할 뿐 조의 입증이라는 과제에 별 관심이 없었다면, 평균율이 막 보급되기 시작한 시대에 활동했던 바흐는 〈평균율 클라비어곡집〉[18]에서 평균율로 스물네 개의 장/단조를 자유롭게 연주 가능하다는 것을 탐구적으로 보여준다. 예를 들어 〈C장조 푸가〉(BWV 846)는 주제가 C장조로 맨 앞에 제시된 후 A단조, F장조, D단조 등 C장조와 가까운 관계의 조들을 거쳐 C장조로 돌아와 마친다.

바흐의 이 곡이 조적 중심을 갖는지 아닌지를 보다 직

관적으로 확인할 수 있는 도구가 있다. 바로 '5도권'(the Circle of Fifths)이라 불리는 유명한 원이다. 피아노 건반상에서는 조들의 친밀도가 잘 보이지 않기 때문에 5도권은 조들 간의 '진정한 친분'을 기준으로 재배열한 도식이라 보면 된다. 즉 평균율의 12반음들을 '5도 간격'으로 일정하게 오른쪽 방향으로 늘어놓은 것으로, 열두 번째에는 다시 자기 자신으로 되돌아온다(지구가 둥글어서 출발점으로 돌아오듯이). 5도권이 '5도' 간격인 것은 이런 간격으로 늘어놓았을 때 하나의 조를 중심으로 양옆에 가까운 조들이 자연스럽게 위치하기 때문이다. 즉 오른쪽으로 갈수록 샤프(#)가 하나씩, 왼쪽으로 갈수록 플랫(♭)이 하나씩 추가되어 5도권상에서 180도 반대 지점에 있는 조들은 서로 가장 먼 관계가 된다(예를 들어 B플랫 장조와 E장조는 서로 가장 먼 조). 또 바깥쪽 원은 장조, 안쪽 원은 단조로 되어 있는데 일대일 매칭된 장조와 단조는 서로 같은 조표를 갖는 '나란한 조'로서 이 역시 친밀한 관계에 있는 조들이다. 어쨌든

19 간결한 3화음 중심으로 된 음악의 짜임새와 이로 인해 간결하게 구획되는 섹션들의 배치를 통해 음악을 전개하는 방식은 고전시대 음악이 이전 시대와 차별되는 가장 큰 특징이다.

20 아돌프 마르크스는 『음악 작곡법』(1845)에서 정반합을 통한 '변증법'을 체계화한 독일 철학자 헤겔의 이론(테제와 안티테제가 신테제로 종합)을 소나타 형식의 '주제 제시–전개–재현' 과정에 적용했다.

두 조가 '친밀하다'는 것은 5도권상에서 서로 가까이 있고, 공통음이나 공통화음을 많이 보유한다는 뜻이다. 근친조들은 서로 화음을 4-5개씩 공유하지만, 먼 조들 간에는 공유 화음이 거의 없거나 아예 없다. 5도권에 있는 24개의 장/단조들은 이처럼 전부 '으뜸조'와의 친분에 비추어 서열이 매겨진다. 바흐의 〈C장조 푸가〉를 5도권상에서 바라보면 그림 __20__ 에서 확인   20 할 수 있듯이 조적 중심(C장조)이 분명하게 드러난다.

고전시대 소나타는 중심조(혹은 으뜸조)를 논증하는 과제를 조금 다른 식으로 접근한다. 즉 이 시대에는 바흐의 푸가와 같이 정교하고 복잡하게 여러 성부를 포개놓는 스타일 대신 수직적인 '3화음' 중심의 간결한 스타일이 대세가 되면서[19] 큰 구획들의 설계를 통해 조적 논증을 하는 차원으로 진입하게 된다. 따라서 구획마다 조를 어떻게 배치하고 운용할 것인가의 문제는 곧 소나타의 '형식'과 직결되었다.[20]

소나타는 바흐의 푸가에서처럼 시작과 끝을 일관된 하나의 조로 통일하는 정도로 중심조를 드러내는 데 그치지 않는다. 1주제와 뚜렷한 대비를 지닌 성격의 2주제를 제시했던 것처럼 소나타는 가운데 부분(전개부)에서 정신없이 격렬한 전조를 일삼으면서 푸가와는 다른 차원으로 중심조에 위협을 가한 후 극적으로 돌아와 마친다.

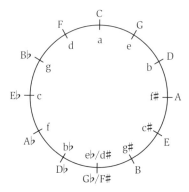

*장조는 대문자, 단조는 소문자 표기.

19   5도권

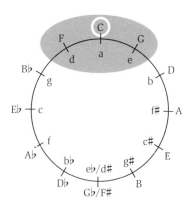

20   바흐의 〈C장조 푸가〉에 사용된 조들.

C장조를 중심으로 가까운 조들이 사용되는 것을 알 수 있다.

이러한 조적 흐름을 1, 2주제 관점으로 풀어내면 소나타 형식에서 첫 섹션(제시부)에서 1주제와 함께 '으뜸조'가 제시된 후 대비적 특질의 2주제가 5도권상의 가까운 조 위에서 언급된다. 가운데 섹션(전개부)에서는 대립되는 두 주제들이 각기 변형되고 얽혀드는 형태로 격렬한 논쟁(조적 방황)에 들어가며, 마지막 섹션(재현부)에서 연사는 '최종 합의'를 이끌어내는데, 이는 고전시대 소나타의 재현부에서 1, 2주제가 전부 '으뜸조'로 언급되는 데서 찾을 수 있다.

베토벤, '소나타 완성'의 의미

베토벤은 고전시대 작곡가들 중 가장 많은, 총 서른두 개의 피아노 소나타를 작곡했다. 그리고 베토벤의 이 소나타들은 '음악의 신약성서'로 평가받는다. '배열법' 파트에서 조립이나 퍼즐 맞추기 같은 동기작법, 으뜸조를 공고히 만드는 치열한 조적 입증에 관해 얘기하다 보니 베토벤이 '소나타를 완성'했다는 의미가 마치 소나타의 틀을 수렴하는 방식으로(공식화하는 방향으로) 완성한 것처럼 오해될 수 있다.

실제로는 정반대이다. 소나타의 제시-전개-재현(-코다)의 기본 틀을 정확히 갖춘 것은 하이든에게 작곡을 배우고 나서 처음으로 쓴 1번뿐, 오히려 베토벤은 소나타의 한계를 시험하듯이 곳곳에 다양한 시도를 한다. 예를 들면 소나타의 1악

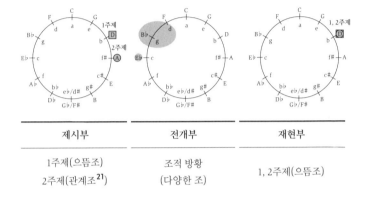

제시부	전개부	재현부
1주제(으뜸조)	조적 방황	1, 2주제(으뜸조)
2주제(관계조[21])	(다양한 조)	

21 베토벤 〈7번 소나타〉의 제시, 전개, 재현부의 조의 흐름.
1주제(네모, D장조), 2주제(원, A장조)의 제시, 중간부의 조적 방황,
그리고 D장조로의 통합이 순서대로 나타난다.

21 장조 소나타의 경우 2주제는 딸림조, 단조 소나타의 경우 나란한
조에서 제시된다.

장이 마치 소나타 아닌 극음악이나 발라드처럼 감성 충만한 톤으로 나타나기도 하고(8, 17, 23번), 1주제의 조성이 모호하게 시작되거나(15, 18번), 2주제가 두 개 이상 나오기도 한다(2, 7번). 또는 으뜸조가 아닌 조에서 가짜 재현부가 시작되거나 (10번) 소나타가 거의 끝나가는 시점에 새로운 선율이 새로운 조에서 등장하고(3번), 조용히 마무리되는 듯하다가 갑자기 망치를 두들기듯 포르티시모 화음으로 마치기도 한다(5번). 뿐만 아니라 1악장이 '변주곡'(12번)이나 '환상곡' 풍(13, 14번)으로 작곡된 경우도 있다(물론 이게 다가 아니다).

베토벤만큼 이렇게 많은 피아노 소나타를, 그것도 각기 다른 틀로 만들어낸 작곡가는 아무도 없다. 그러니 베토벤은 소나타 형식을 지정한 것이 아니라 오히려 소나타 형식의 가능성을 자신의 역량 안에서 할 수 있는 한 끝까지 탐구했다고 보아야 한다. 즉, 베토벤이 서른두 개의 피아노 소나타 통해 무언가를 강하게 주장하려는 것이 있다면 '소나타는 이런 것이다'보다는 '이런 것들도 전부 소나타가 될 수 있지 않은가?' 하는 질문일 것이다.

'조적 입증'이라는 과제는 조들의 운용이나 종지의 배치와 같은 거시적인 차원뿐 아니라 다음과 같이 아주 사소해 보이는 문제에도 관여한다. 즉 'C화음'을 구성하는 세 개의 음(도,미,솔)을 네 성부로 쌓으려 할 때 셋 중 어느 음을 중복할 것인가 하는 문제 같은 것이다.

C코드를 쌓는 방식들.
'도'가 중복된 형태(왼쪽)와 '미'가 중복된 형태(오른쪽)

　　위 악보에는 두 개의 C화음이 나와 있다. 보다시피 C화음(도, 미, 솔)을 네 성부로 배치할 때 중복되는 음이 각기 다르다. 첫 번째는 베이스 음(도)을 중복한 것으로, 주요 3화음은 근음(root)을 중복해야 한다는 화성학의 지침을 잘 따르고 있다. 그러나 두 번째 형태는 화성학의 지침을 무시한 채 '3음(미)'을 중복하고 있다.

사실 그냥 아무 음이나 중복해도 다 똑같은 C코드인데 뭐가 문제냐는 생각이 들 수 있다. 그러나 두 번째 형태를 지지하는 사람들의 입장에서 이유는 자명하다. 귀로 들었을 때 울림이 부드럽고 풍부하다는 것이다. 반면 (음향적으로만 본다면) 첫 번째 화음은 두 번째의 것보다 다소 거친 소리를 갖는다.

그럼 음향적으로 조금 거친 첫 번째 형태를 지지하는 사람들은 어떤 이유에서 그러는 것일까? 그들은 조적 입증이라는 과업하에 '으뜸음'이 중요하다는 관념 때문에 이 형태를 지지한다. 다장조에서는 '도'가, 라장조에서는 '레'가 (모든 것을 제치고) 가장 중요한 음이므로 이 음을 중복해야 한다는 식이다. 그러니 고전 화성학 입장에서는 둘 중 어느 쪽 편을 들어줄까. 당연히 첫 번째이다. 하지만 화성학의 문법이 더 이상 의미 없는 시기에는 보다 감각적인 울림을 선사하는 동시에 고전 화성학의 지침에 위배되는 두 번째 화음형이 더 각광받는다.

개별적인 세 개의 음 vs. 하나의 선율(프레이즈)

미사여구법과 전달법

작곡가의 미사여구법

앞에서 수사학의 '주제 설정'과 '배열법'이 소나타에 어떻게 적용되는지 살펴보았다. 그러나 흥미로운 주제와 이를 토대로 훌륭하게 배열되고 다듬어진 좋은 원고가 있다 한들 청중을 정서적으로 설득시키지 못하면 무용지물이다. 주제, 동기, 섹션의 배치에 대한 고민이 작품 자체로 완결성 있는 '내용'을 위한 것이었다면 수사학의 꽃으로 불리는 미사여구법은 원고에 동반되는 잉여적인 제스처들을 다루는 부분으로, 주로 내용의 '표현'에 관한 것이다.

작곡가가 구사하는 미사여구법은 악보에서 나타냄말, 셈여림, 음역, 음색, 프레이즈의 운용, 악기 주법 등을 통해 복합적으로 나타난다. 흔한 미사여구의 예는 '노래하듯이'(cantabile), '가볍고 경쾌하게'(leggiero), '정력적으로'(energetico) 등 연극 대본의 지문처럼 나타냄말로 직접 표현하는 것이다. 또는 '점점 크게'(cresce.)와 '점점 빠르게'(accel.)와 같은 셈여림과 빠르기, 악센트나 스타카토, 스포르잔도(그 음을 특히 강조하여) 등 다양한 아티큘레이션을 넣어 표정이나 뉘앙스를 부여한다.

다양한 미사여구법의 기술 중에서도 가장 중요한 것은 [22]

A) A장조

p dolce pp ◁———————▷ espress. calando(◁————▷)/

dolce ◁———————▷ un poco animato ▷———————◁ & piu lento(완전정격종지)//

B) F# 단조

[a tempo] ▷———————◁ & rit.(반종지)/ pp & piu lento rit. & ⌢ (반종지)/

[Tempo I.] espress. f ◁———————▷ p & rit. ⌢ (반종지)//

A′) A장조

[a tempo] pp (sf) dolce espress. ◁———————▷ f calando(◁————▷)/

dolce ◁———————▷ un poco animato ▷———————◁ & rit. piu lento ⌢ (완전정격종지)//

<u>23</u>　　　브람스의 〈인터메조 2번〉(Op.118)에 나타나는 미사여구법[22]

22　　dolce: 부드럽게　espress.: 풍부한 표정으로

calando: 점점 느려지면서 작아지게　un poco animato: 약간 생기 있게

piu lento: 좀더 느리게　a tempo: 원래의 빠르기로

◁———————▷ : 점점 크게　▷———————◁ : 점점 작게

⌢ : 늘임표. 음을 충분히 늘여서

프레이징(phrasing, 끊어 읽기)이다. 가장 작은 프레이징은 악보에서 보통 여러 음을 하나의 곡선으로 묶은 이음줄(⌒)로 나타난다. 이음줄은 개별적인 음들을 하나의 '선율'로 꿰어주는데, 이처럼 흩뿌려진 음 몇 개를 연결하는 것만으로 음악에 최소한의 의미가 발생한다. 그러나 프레이징은 이음줄로 음들을 연결하는 것을 포함해 훨씬 더 포괄적인 개념으로 '단어'에서 '문장', '단락'까지 음악의 구조와 깊이 연관된다. 가장 작은 단위의 프레이징은 보통 2마디나 4마디로 되어 있고 조금 더 큰 호흡은 8마디, 더 큰 호흡은 16마디 등 4배수로 이루어지는 것이 일반적이다.

　　하지만 작곡가가 악보에 프레이즈(⌒)를 일일이 표기하지 않더라도 이러한 짝수 혹은 4배수 마디에 의미 있는 화성적 종지 구문과 함께 빠르기나 셈여림에 대한 잉여적인 표현들이 나타나기 때문에 끊어 읽어야 할 부분이 자연스럽게 드러난다. 예를 들면 브람스의 〈인터메조 2번〉(Op.118)에서 음표나 리듬을 제외한 미사여구와 관련된 표기들만 살펴보아도 문장이나 단락이 맺어지는 부분(밑줄)과 다시 시작되는 부분(네모), 단락을 마치는 부분(/)과 섹션이 마무리되는 부분(//)은 거의 일관되게 나타난다.

　　프레이징으로만 보면 이 곡은 첫 섹션(A)에서 작고 부드럽게 시작되었다가 점점 커지면서 풍부한 표정으로 진행된

24 　 버르토크, 〈현악사중주 5번〉 I악장,
단락의 마무리와 시작을 암시하는 미사여구 제스처

후 잦아든다(calando). 그리고 다시 점점 커지면서 약간 생기를 띠다가 잦아들고 완전히 쉰 후(늘임표), 두 번째 섹션(B)으로 넘어가 앞과 조금 다른 분위기를 띤다. 이 부분에서 처음으로 포르테가 등장하여 진행되다가 또다시 잦아든다. 마지막 섹션(A′)에서는 미사여구 표현이 좀 더 구체적이고 풍부하게 재현된 후 잦아들면서 음악을 마친다. 이러한 크고 작은 단락의 마무리에는 어김없이 배열법에서 논했던 조적 구획이나 화성적인 종지들이 있으며, 단락의 끝에는 보통 점점 느리면서 작아지는(rit.와 ▭, 혹은 calando), 단락이 시작될 때는 원래의 빠르기로 돌아오는(a tempo) 제스처가 일관되게 나타난다. 잘 만들어진 음악이라면 전부 이처럼 내용과 형식, 프레이징, 아티큘레이션 등 모든 것이 작곡가의 의도를 분명하게 드러낸다.

　　20세기 이후의 현대음악에 더 이상 우리가 알아들을 만한 선율이나 화음은 없을지라도 이러한 미사여구법은 어떤 식으로든 음악에 계속 존재한다. 때로는 이러한 음악들이 고전음악들의 화성 어법을 사용하지 않기 때문에 미사여구적 표현을 더욱 적극 활용한다. 예를 들어 모차르트, 베토벤의 화성 언어와는 상이한 헝가리 작곡가 버르토크의 〈현악사중주 5번〉 [24] 1악장은 '황금비', '피보나치 수열', '아치형 좌우대칭'과 같은 수학, 미술에서 가져온 다양한 원리와 계산에 의해 꽉 짜여 있으나[23] 정작 이 곡이 청중들을 사로잡는 이유는 생기 있는 리듬 운용과 함께 청중에게 지루할 틈을 주지 않는 뛰어난 미사여구법 때문이다. 특히 브람스의 서정적인 〈인터메조〉에서 구문이나 단락이 마무리될 때마다 나왔던 미사여구의 제스처들은 버르토크의 전위적인 음악들에서도 동일하게 쓰인다. 20세기 이후 서양음악의 흐름이 무척 다양해졌음에도 불구하고 이처럼 우리의 일상적인 언어 습관(그중에서도 내용을 제외한 나머지 모든 부분)을 다루는 미사여구의 기술을 잘 구사할 경우 불협한 음향이 가득한 음악일지라도 청중을 곧잘 설득한다.

이렇듯 일관되게 음악에 등장하는 프레이징의 몇몇 관습이 (혹 화성적인 종지가 뭔지 모르더라도) 단락과 구획을 쉽게 알아들을 수 있게 해주는 장점이 있지만, 반대로 프레이징이 항상 같은 패턴으로만 나타난다면 청중이 연설에 흥미를 잃기 쉽다. 따라서 같은 문장이라도 억양, 강세, 끊어 읽기 등을 달리면 청중의 이목을 집중시키기 좋을 것이다.

23　수열이나 좌우대칭, 황금비 등의 아름다움이 수학과 시각예술에서는 어필하지만 이러한 원리들을 소리 예술인 음악으로 가져와 '배열법'에 적용하면 거의 무용지물이 된다. 실제로 20세기 이후 여러 음악들이 이러한 음악 외의 미학 논리를 구조에 적용하는 시도를 활발히 해왔으나 대체로 성공적이지 못하다.

프레이징을 변칙적으로 운용하는 방법 중 하나는 '헤미올라'(hemiola)이다. 헤미올라는 끊어 읽는 단위나 강세가 들어가는 지점을 조금씩 바꿈으로써 잠시 변박이 된 듯한 효과를 낸다. 예를 들어 6/8박자는 원래 3박마다 강세가 들어가 [3+3]으로 읽어야 하지만 2박 세 개 즉, [2+2+2]로 끊어 읽으면 마치 3/4박자가 된 것처럼 들린다. 헤미올라는 슈만, 브람스, 차이콥스키, 포레 등 여러 작곡가들이 자주 사용하지만 특히 브람스의 트레이드 마크라 할 수 있다. 브람스의 〈교향곡 4번〉 1악장에서 격렬하게 고조되는 마지막 부분을 감상해보면 한 마디가 짧아지거나 길어진 것처럼 기본박이 끊임없이 흔들려 박자감이 상실되는 부분이 나온다. 이런 변칙적인 끊어 읽기는 멘델스존의 바이올린 협주곡에서처럼 즐거운 분위기 속에 가볍게 사용될 경우 경쾌함을 선사하지만, 브람스 교향곡의 경우처럼 음악의 텐션이 한껏 상승하는 가운데 헤미올라가 등장할 경우 청중의 긴장감을 폭발적으로 고조시키는 데 효과적이다.

멘델스존의 〈바이올린 협주곡 E단조〉에는 변칙을 통한 미사여구 기법이 다채롭게 구사되어 있다. 특히 1악장 전개부에는 정형적이지 않은 끊어 읽기(프레이즈)가 자주 등장한다. 줄곧 네 마디씩 묶이던 패턴은 톤이 점점 고조되면서 갑자기 두 마디로 마무리되어 청중의 허를 찌르고, 이후 다시 네 마디

1 _____ 2 _____ 1 2 3

<u>25</u>　　헤미올라 기법

<u>26</u>　　멘델스존, 〈바이올린 협주곡 E단조〉 주제 선율의 활쓰기

패턴으로 돌아와 프레이즈가 진행되다가 이번엔 세 마디 패턴으로 급변하는 등, 다채로운 끊어 읽기를 통해 청중으로 하여금 지루할 틈을 주지 않는다. 변칙적인 프레이징은 미시적인 차원에서도 나타난다. 예를 들어 3악장의 유명한 테마 선율에 표기된 활쓰기(bowing)는 4/4박에 내재된 기본 인토네이션(강-약-중강-약)이나 마디의 시작점과 마치는 점과 완전히 따로 노는 듯 되어 있다. 게다가 마디의 '첫 박'을 못갖춘마디의 16분음표 네 개와 함께 올림 활(∨) 처리하여 강박인 첫 음을 아주 가볍게 지나치도록 하는데, 뒤의 네 마디 첫 강박들도 전부 이런 식의 보잉으로 처리된다. 음표로 가득한 악보가 프레이즈나 보잉 표기로 인해 더 복잡해 보이는 건 사실이지만, 이러한 미사여구적 표현들이 악보에 없다면 연주자들은 '가볍고 경쾌한'이라고 써놓은 추상적인 나타냄말을 대체 어떻게 소리로 구체화할 것인지 거의 작곡가와 같은 고민을 해야 했을 것이다. 변칙적인 보잉이나 프레이징 없이 연주자가 마디나 박자 단위로 일률적인 패턴에 따라 이 바이올린 협주곡을 연주할 경우, 아마 빠른 템포와 많은 음표에도 불구하고 음악에 어딘가 생동감이 없고 지루하다고 느끼는 청중이 많았을 것이다. 그러므로 작곡가는 원고를 어떤 호흡, 어떤 뉘앙스로 어디에 방점을 두어 읽어나가야 할지 여러 미사여구적 표현들을 악보에 표기하고, 연주자들은 이런 사항들을 충분히 숙지한 후 최종적으로 연단 위에서 하나의 음악을 청중 앞에 들려주게 된다.

연설문을 재창조하는 연주자

주제 설정, 효율적인 섹션 구성, 디테일한 문장 구성 및 청중을 사로잡을 의외성, 뿐만 아니라 세밀한 미사여구 기술들까지 '원고'에 총동원되었다. 이제 남은 것은 연사가 연단에 올라 연설하는 일이다. 이는 수사학에서의 마지막 단계인 '전달법'(actio)에 해당된다.

그러나 연설 주제와 배열 방식이 훌륭한 원고를 아무나 연단에 올라가 읽는다고 청중이 설득당하는 건 아니다. 고대 그리스의 교육가 이소크라테스는 자신의 교육법에 대한 설득력 있는 원고를 작성하는 데에는 뛰어난 사람이었으나 목소리에 힘이 없고 배포가 작아서 청중 앞에서 연설을 하는 데 애를 먹었다고 한다. 따라서 그가 고안한 대책은 연설에 재능 있는 연사와 정치가를 연단에 세우는 것이었다. 연설도 그럴진대, 작곡가가 써놓은 악보를 누가 집어 들어 연주하느냐는 훨씬 더 큰 차이를 불러온다. 서양음악의 경우 기보법이 매우 발달하면서 작곡가와 연주자가 전문성에 따라 분리되어 작곡가는 악보상의 논리 구축과 미사여구에 만전을 기하는 한편 실제 연주는 전문 연주자에게 위임된다.

그렇다면 이상적인 연주는 뭘까? 여기에는 앞서 언급한

여러 수사학의 전달 기술이 적용된다. 예를 들면 연설의 목소리 톤 조절은 셈여림이나 음색에 해당된다. 또 연사의 발음이 명확해야 하듯 악기의 음색은 또렷해야 하고, 새로운 구획 지점이나 아이디어가 등장할 때 청중이 알아듣도록 포인트를 준다든지 음악적 내용에 적절한 신체적 제스처를 표현할 수 있어야 한다. 그리고 이 모든 것이 충실한 계획하에 이루어지되, 청중이 이를 알아채지 못하게끔 자연스럽게 처리하는 것도 연주자가 신경 써야 할 부분이다. 하지만 '악보가 곧 완벽한 음악'이라고 생각한다면 연주자의 역할은 그저 악보의 요소들을 완벽히 재현해내는 '기계'가 되는 일일 것이다. 음악은 '악보 그 자체로 존재하는 음악'일 수도 있으나 '연주를 통해 실재하는 음악'도 있다. 이러한 연주는 연주자마다, 혹은 같은 연주자라도 연주할 때마다 매번 차이가 나기 마련이다. 이것이 과거에 이미 악보상으로 모든 논의가 끝난 음악을 수없이 다시 꺼내어 연주하는 이유이자, 다양한 해석을 즐기며 듣는 묘미이기도 하다.

연주자의 일은 (작곡가와 달리) 매우 신체적인 만큼 프레이즈뿐 아니라 악보의 모든 내용을 구현하기 위해 중력이나 반동, 원심력 따위를 이용하는 운동선수처럼 물리적인 연구가 필요하다. 일차적으로는 운동선수들이 기초 체력을 훈련하듯이 스케일, 아르페지오, 패턴 연습 등의 꾸준한 기본기를 연습해야 한다. 나아가 악보에 나오는 여러 음들을 어떤 손가락 번

호로 실행할 것인지의 소소한 문제부터 크게는 곡의 해석을 토대로 어떤 판타지를 떠올릴 것인가에 관해, 어쩌면 작곡가와는 전혀 다른 차원에서 설득의 기술을 고민하는 것이 연주자의 과제라고 할 수 있다.

예를 들어 오스트리아에서는 오래전부터 요한 슈트라우스 2세의 왈츠 곡들의 3박자 기본 리듬을 약간 절뚝거리듯 연주하는 관습이 있다. 악보에 평범한 3박자로 표기된 '쿵작작' 하는 간단한 리듬을 실제 연주에서는 항상 두 번째 박을 살짝 앞으로 당겨 표현하는 것이다. 빈 필하모니에서 시작된 이러한 연주 관습은 오늘날 요한 슈트라우스의 왈츠를 연주하는 거의 모든 악단에 불문율처럼 자리 잡았다. 실제 악보에는 이렇게 절뚝거리며 연주하라는 지시가 없지만 이러한 연주상의 해석이 결코 어색하지 않은 것은 왈츠를 추는 사람들의 발의 움직임이 이러한 비대칭 리듬에서 오히려 잘 연상되기 때문이다. 3박자의 왈츠를 추는 사람이 첫 박에 왼발을 구른 후 오른발로 이어받아 두 번을 가볍게 뛰어 오르는 동작을 한다고 상상해 보라. 첫 박은 살짝 짧아지는 데 반해 두 번째 박은 살짝 길어져 두 번째 박에 자연스럽게 악센트의 뉘앙스가 생긴다. 오른발로 두 번 땅을 딛어 점프를 할 때 둘 사이에 자연스럽게 약간의 간격이 생기므로 '쿵-작작'이 아니라 '쿵작, 작'이 된다. 이런 것은 악보에 적혀 있지 않지만 이렇게 연주했을 때 왈츠를 출 때의 신체성을 더 잘 구현한다.

　　연주자들의 제스처를 보면 종종 본능적으로 악보에 담긴 작곡가의 수사를 이해하는 듯하다. 1995년 쿠르트 마주어가 지휘하는 뉴욕 필하모닉 오케스트라와 협연했던 13세의 장영주는 멘델스존의 〈바이올린 협주곡〉 3악장 끝부분에서 솔로 바이올린이 단숨에 6도를 도약할 때 음의 도약 제스처와 반대로 신체를 한껏 낮춘다. 음역이 위로 올라갈수록 턱을 더 아래쪽으로 내리는 성악가의 모습도 많이 봤을 것이다. 둘 다 멀리 뛰기 위해 몸을 순간 움츠리듯이 악보의 음정 도약을 신체로 충실히 이행하는 데서 생기는 제스처이다. 당연히 이런 것들도 악보에 쓰여 있지 않다. 하지만 소프라노와 베이스 선율이 정반대 방향을 향해 도약할 때 (악보에 강세 표기가 없어도) 저절로 그 부분에 강세의 뉘앙스가 생기는 것처럼, 이러한 신체적(물리적) 반동은 음악의 클라이맥스를 더 효과적으로 연출한다.

　　한편 음악의 문장을 어디에서 어떻게 끊어 읽고 강조점을 어디에 두어 표현할 것인지 등 프레이징의 문제는 연주에 있어서도 매우 중요하다. 이 부분은 특히 연주자의 '곡 해석'과 관계가 있다. 가장 근본적으로 모든 연주에는 레가토(legato)가 전제된다. 이것은 음과 음을 끊어지지 않게 연결하는 주법을 말한다. 그러나 레가토를 기술적으로 아무리 잘한다 해도 속도와 셈여림을 고려하지 않는 프레이즈 처리는 마치 쇼팽의 발라

오스트리아에서는 기본적인 왈츠의 3박(위)을
비대칭적으로 연주하는(아래) 관습이 있다.

프레이즈

한 프레이즈를 연주하는 속도(템포, 가로축)와 강도(셈여림, 세로축).
프레이즈 중간으로 갈수록 빠르고 커지며, 양 끝으로 갈수록 느리고 작아진다.

드를 메트로놈과 같은 정확한 박자로 연주하는 것처럼 이상하게 들릴 것이다. 실제로 연주자들은 흩어져 있는 음들을 의미 있는 구문으로 들리게 하기 위해 프레이즈를 왼쪽 그림과 같은 속도와 강도로 엮어나간다. 즉 프레이즈는 '느리고 여리게' 시작해 중간을 향할수록 점진적으로 '빠르고 강해'지며, 정점을 지나면 다시 '느리고 여려'지면서 마무리된다. 이러한 제스처는 프레이즈뿐만 아니라 '시작-중간-끝'을 환기하는 모든 흐름에 자연스럽게 내재한다. 뿐만 아니라 가운데가 봉긋이 솟아오른 프레이즈에 내재한 연주의 운동성은 진자 운동을 닮아 있다. 놀이터에서 그네를 타는 아이들이나 하프파이프에서 보드를 타는 선수를 본 적이 있을 것이다. 프레이즈를 처리하는 데 있어 미묘한 속도, 셈여림, 아티큘레이션 등등의 변화가 우리가 일상에서 경험하는 이러한 자연스러운 움직임을 닮아 있을수록 연주가 자연스럽게 들린다. 설령 각 음이 (레가토가 아니라) 스타카토로 짧게 끊어 연주되더라도, 한 프레이즈를 이 도식처럼 처리하면 우리는 그 음들을 충분히 하나의 연결된 선율로 듣게 된다.

하나의 프레이즈가 현실 세계 속의 진자 운동처럼 자연스러워야 한다면, 여러 프레이즈가 연이어 등장할 때 각각의 프레이즈들은 어떻게 달라져야 할까? 여러 피아니스트들이 연주한 쇼팽의 〈왈츠 1번 A♭장조〉를 들어보면 다음과 같이 여덟

28 쇼팽, 〈왈츠 1번 A♭장조〉, 앞부분 네 개의 프레이즈

쇼팽 왈츠, 첫 네 개의 프레이즈를 연주할 때 속도와 강도 변화

마디로 된 정형적인 한 악절을 작곡가의 프레이즈 표기에 따라 두 마디 단위(한 프레이즈)로 끊어 연주하면서도 두 번째, 네 번째 프레이즈에서 보다 느려지고, 화성적 종지(정격종지)가 나타나는 네 번째 프레이즈 끝에서는 상대적으로 가장 느려진다.

이처럼 작곡가들이 프레이즈의 시작과 끝에 일일이 표기하지는 않지만 연주자들은 종지를 토대로 한 문장, 한 단락 등 작은 단위로부터 점점 더 큰 단위를 인식하면서 빠르기를 유연하게 늘리거나 줄여 연주한다. 만약 프레이즈의 끝에 '점점 크게', '점점 빠르게'가 있다거나, 프레이즈 한 가운데에서 음들이 점점 상승하는 가운데 '점점 느려지게'와 같은 지시어가 나타난다면 이것을 중심으로 프레이즈는 재해석된다. 뿐만 아니라 자연스럽게 진행되던 프레이즈의 흐름을 역행하라는 표기가 악보에 뚜렷이 나타나는 곳은 작곡가의 의지가 드러나는 부분이다. 베토벤이나 브람스의 교향곡에서 프레이즈가 급격히 짧아지고 종지 부분이 (마무리가 아니라) 왠지 점점 더 고조되는 방향으로 흘러간다면 여기는 무언가를 강렬히 표현하려는 메시지가 들어 있다고 봐야 한다(보통 클라이맥스 부분).

프레이즈는 음악의 '호흡'인 만큼 음악의 생명에 절대적이다. 연주에 있어 '해석'이라고 말할 때는 악보가 명시하는 범주 안에서 프레이징을 운용해나가는 역량을 말한다. 악보가 운 좋게 미사여구 기술에 본능적으로 뛰어난 연주자를 만난다면 더할 나위 없겠으나 그렇지 못할 상황에 대비해 작곡가들은 템포와 다이내믹의 변화를 세세히 악보에 지시해둔다. 어쨌든 작곡가나 연주자가 프레이즈와 템포, 셈여림 등을 통해 궁극적으로 구현하고자 하는 것은 일괄적인 블록판들이 아니라, 자연스럽고 다양하게 솟아오르고 하강하면서도 서로 이질적이지는 않은 둔덕들의 풍경 같은 것이다.[24]

미사여구법과 전달법에 있어 프레이징이 가장 중요하지만 그 외에도 좋은 연주를 위한 많은 노력이 있다. 예를 들면 작곡가의 의도를 잘 전달하기 위해 손 가는 대로 연주하지 않는 것도 그러한 노력 중 하나이다. 흔히 아마추어들이 느린 템포의 음악이 빠른 곡보다 연주하기 쉽다고 오해하는 것은 이런 부분 때문이다. 피아노 곡의 경우 슈만의 〈트로이메라이〉처럼 템포가 느린 곡에서 마지막에 오른손이 6도를 도약하는 선율

---

24   이것은 질 들뢰즈와 펠릭스 가타리의 『천 개의 고원』(*Mille Plateaux*, 1980)의 제목에서 가져온 비유이다. 들뢰즈의 개념을 음악에 적용하면 음악은 반복(리토르넬로)을 통해 '영토성'을 구축하여 차이를 통해 '탈영토화'한다. 연주 행위 역시 언어나 문자(악보)를 넘어 수많은 '잉여들'로 구현된다.

25   에드워드 사이드, 『평행과 역설』(도서출판 마티, 2011), 97–98쪽.

은 기술적인 면에서 매우 쉽고 리스트의 〈라 캄파넬라〉에 등장하는 2옥타브를 연속으로 빠르게 넘나드는 패시지는 꽤나 어렵지만 음악적인 의미에서 두 곡의 도약 선율이 지니는 무게감은 완전히 정반대이다. 또한 느린 곡에서 순차로만 얌전히 움직이는 선율은 느리게 연주하려 애써도 빨라지기 쉬운데, 연주자들은 이런 부분에서 손가락 번호를 일부러 어렵게 하여 핸디캡을 두거나 온몸의 동작을 느리게 하고 호흡을 천천히 내뱉는 등 어떻게든 템포를 제어하려 노력하는 모습을 볼 수 있다.

또한 연주자에게는 메소드 연기를 하는 배우처럼 여러 쇼맨십이 필요하다. 예를 들어 지휘자 바렌보임은 한창 음악이 고조되는 패시지에서 수비토 피아노(subito *p*, 갑자기 여리게)가 등장할 때, 수비토 피아노가 나오는 직전까지 포르테를 그대로 유지하는 것을 연주의 미덕이라고 생각한다.[25] 갈 수 있는 한 벼랑 끝까지 거침없이 나아가듯 연주해야 청중은 수비토 피아노가 지닌 드라마틱함을 보다 생생히 전달받는다는 것이다. 앙드레 지드 역시 쇼팽의 즉흥곡들을 연주하는 루빈슈타인의 연주를 '산책'에 비유하며 아래와 같이 언급한다.

그는 어떤 곡을 쳐서 보여준다기보다는 그 곡을 찾고, 발견해가거나 차츰 작곡해가는 것 같이 보였는데, 그것도 즉흥으로 하는 것이 아니라 열렬한 내면의 통찰 속에서, 차츰 차츰 드러내 보이며 그 드러내 보이는 행위에 자기 자신도 황홀해하고 깜짝 놀라면서 곡을 만들어 가는 것 같았다.[26]

악보에서 요구하는 것들을 200퍼센트 구현하기 위해 연주자들은 실제로 배우와 같은 제스처, 표정 연기도 마다하지 않는다. 손열음이 연주하는 드뷔시의 〈달빛〉은 손가락의 움직임이 일상에서보다 몇 배속 느려진 시간의 흐름을 그리듯 허공을 부유한다. 연주자의 이러한 동작은 '달빛'이라는 제목이 던지는 이미지와 함께 악보의 행간에 가득 찬 은은한 달빛의 아우라까지 전달한다. 어느 음악회에서는 현대음악을 연주한 피아니스트가 마지막 화음을 스포르잔도로 처리하자마자 피아노 뚜껑을 '탁!' 하고 닫아 버리기도 한다. 또는 연주회에서 종종 과장으로 느껴질 만큼 연주자의 우는 듯, 때로는 환희에 차거나 환상을 보는 듯한 표정과 여러 제스처들은 원고를 읽는 데 몰입 중인 연주자 자신의 정서적 표현일 뿐 아니라 원고의 전달력을 높이기 위한 노력의 일환이다.

　한편 어떤 곡을 연주하든 오랜 시간 한 연주자에게 일

26　앙드레 지드, 『쇼팽 노트』(포노, 2015), 133쪽.

관되게 나타나는 고유한 연주 스타일도 청중을 설득하는 데 관여한다. 굶주린 맹수처럼 시종 힘이 넘치며 주저함이 없는 스타일이 있는가 하면, 어떤 상황에서도 담백하고 지적인 톤으로 원고를 낭독하여 청중의 마음을 사로잡는 스타일도 있다. 아무리 길고 험난한 곡이라도 자신의 연주를 한 걸음 떨어져 관조하듯 하는 연주 스타일도 있고, 템포를 쥐고 자유자재로 운용하면서 짧고 단순한 소품조차 긴장감 있게 풀어나가는 스타일, 회화의 확연한 명암 대비나 색채감이 풍부한 스타일, 반면 제스처는 거의 없으나 내적인 열정을 내비치는 연주 스타일 등 각양각색이다.

연주자마다 특별히 궁합이 잘 맞는 원고도 있다. 독일의 피아니스트 빌헬름 박하우스는 베토벤, 헝가리 피아니스트 안드라스 쉬프는 바흐, 쇼팽 콩쿨 최연소 우승자인 폴란드 피아니스트 크리스티안 지메르만은 쇼팽의 곡에 각기 가장 잘 어울리는 피아노 톤을 가진 것으로 평가받는다. 이들은 각각 베토벤, 바흐, 쇼팽이라는 감독의 '페르소나'에 비유될 수 있다. 뿐만 아니라 각종 콘체르토에서 그 악기에 가장 잘 어울리는 톤을 구사하는 악기 주자들이 있는가 하면 모차르트, 베토벤, 말러 등에 각별히 해석이 뛰어난 전통적인 앙상블이나 교향악단도 있다.

때로는 처음 딱 보면 왜 좋은 연주자인지 의심 가는(?)

거장들도 있다. 피아노의 전설로 불리우는 블라디미르 호로비츠의 경우 미스터치가 잦고 종종 페달 처리도 깔끔하지 않으며, 열 손가락을 쭉 펴고 건반을 뭉개듯이 친다. 클래식 음악계의 괴짜로 불리는 천재 피아니스트 글렌 굴드는 피아노 의자 대신 테이블용 낡은 등받이 의자를 고집하며 입으로 끊임없이 중얼거리며 연주하는데 그 모습이 누가 봐도 예사롭지 않다. 이탈리아의 바이올리스트 파비오 비온디가 연주하는 비발디의《사계》는 우아한 새들의 앙상블 같은 이 무지치의《사계》[27]에 익숙한 청중에게는 매우 이단아스러운 것이다. 2003년 프랑스 낭트에서 에우로파 갈란테와 연주한 비온디의《사계》는 활의 음색이 상당히 날카롭고 거칠며 울긋불긋한 무대 조명이 썩 잘 어울리는 록 페스티벌 느낌의 사계이기 때문이다. 20대의 젊은 피아니스트 임현정이 연주하는 바흐의〈C단조 프렐류드〉(BWV 847)는 19세기 낭만시대 음악이라고 해도 과언이 아닐 정도로 격정적이다. 불타오르고, 휘몰아치며 천국과 지옥을 오가는 이들의 연주를 듣고 있노라면 이 곡들이 온

---

[27] 이 무지치(I Musici)는 1951년 결성된 이탈리아의 실내악 단체로 1955년 잘 알려지지 않은 비발디의《사계》전 곡을 최초로 레코딩했다. 이를 계기로 전 세계적으로《사계》열풍을 일으켰으며, 현재까지 2500만장 이상 판매되어 이 무지치의 대표 음반으로 손꼽힌다. 연주 음색이 우아하고 감미로운 것이 특징이다.

전히 300년 전 비발디와 바흐만의 것이라기엔 충분하지 않아 보인다. 우리는 왜 이런 연주들을 '틀렸다'고 하는 대신 훌륭하다고 말할까? 결국 원고를 틀리지 않고 잘 읽는 능력이나 전통을 얼마나 잘 따랐는지의 잣대보다 자신만의 톤과 연주 스타일을 확립하고 '지금 여기서' 청중과 공명하는 음악으로 재창조하는 것이 연주자에게 요구되는 가장 큰 미덕인 걸 알 수 있다.

수사학에서 연주자가 하는 역할과 '좋은 연주'란 어떤 것인지, 오늘날 어떤 연주 스타일이 있는지 등등에 대해 두서없이 이야기를 나눴지만 사실 세상에는 '좋은 음악'만큼이나 '좋은 연주'에 관한 견해도 무척 다양하다. 누군가 아무리 객관적으로 흠 잡을 데 없는 연주를 하더라도 수사에 압도당하는 포인트가 사람마다 다른 한 연주에 대한 호불호는 늘 갈릴 수 있다. 하지만 좋은 연주인지 아닌지 알 수 있는 방법이 아주 없는 건 아니다. 연주자의 테크닉이 완벽하든 선율 표현이 매우 아름답든, 아니면 연주자의 표정이나 쇼맨십이 인상적이든 간에 지금 이 순간 나에게 잊지 못할 무언가를 던져준 연주가 있다면 그 연주가 내게는 최고의 명연주이고 명연설일 것이다.

소나타 속 이야기들

앞서 살펴본 대로 소나타[28]야 말로 수사학을 잘 구현한 '음악 연설의 총체'이다. 소나타에는 이탈리아 오페라 아리아의 호소력 있는 선율, 프랑스의 우아한 춤곡 리듬, 전체에 통일성을 구축하는 반복과 모방 기법, 조적 논증 및 대비, 대조, 반복을 통한 미적 배치 등등 이전까지의 거의 모든 서양음악 어법과 수사학이 망라되어 있다.

---

28   앞서 언급했던 '소나타'와 '소나타 형식'의 차이를 다시 상기하면 좋을 듯하다. 소나타 형식은 주로 고전시대 소나타 1악장에 즐겨 사용된 하나의 '음악 형식'을 가리킨다. 소나타는 소나타 형식으로 된 1악장을 포함해 론도, 미뉴에트 등의 서너 악장을 묶은 것을 말한다. 단 여기서는 번거로움을 피하고자 '소나타 형식'과 '소나타'란 용어를 둘 다 '소나타'로 사용하기로 한다.

흥미로운 점은 시간의 흐름 속에 펼쳐지는 소나타의 전개 방식이 딱딱한 연설문이 아닌, 하나의 이야기로도 풀어질 수 있다는 사실이다. 소나타가 이미지나 감정 묘사에 치중하지 않고도 어떠한 이야기를 담을 수 있는 것은 소나타가 '대립적인 두 주제'를 제시하고 조적 입증이라는 과제를 위해 '여러 조를 넘나든' 후 최종적으로 '으뜸조를 확립'하면서 마치는 흐름 속에 일종의 드라마가 형성되기 때문이다.

전쟁 이야기

소나타가 조적 정체성을 입증하는 과정에서 발생하는 드라마는 종종 '전쟁 이야기'에 비유된다. 여기에는 필히 용맹하고 정의로운 영웅이 등장한다. 그러나 영웅 탄생의 진짜 중요한 전제는 '적'의 존재이다. 영웅은 적을 통해서만이 비로소 자신의 존재 이유를 찾을 수 있기 때문이다.

소나타 속에서 대비적 특질을 지닌 '1주제'와 '2주제'는 소나타 속 이야기에서 각각 영웅과 적의 역할을 맡는다. 즉 어둠이 있어야 빛이 더 눈부시듯, 2주제는 (결국) 1주제가 옳다는 것을 드러내기 위해 존재한다. 따라서 영웅과 적을 어떻게 설정할 것인지의 문제가 일차적으로 중요하다.

이야기 속 인물들은 보통 그들의 몸짓, 말투, 옷차림, 취미 등등 여러 특징을 통해 고유의 성격을 드러내는데 음악에서는 흔히 선율을 '얼굴', 화음을 '옷차림', 리듬을 '걸음걸이'에 비유한다. 여기에 더해 소나타에서는 '조'가 중요하다. 조는 '영역', '영토', '나라'에 해당된다. 소나타에서 1주제가 자신이 주인공임을 드러내는 방식은 얼굴이나 패션보다 더 근본적인 방식인 '영주권'을 제시하는 것이다. 즉 영주권이 있으면 그 사람의 식습관이나 피부색, 옷차림이 어떠하든 그는 그 나라의 시민이다. 소나타 이야기에서는 조가 바로 그런 영주권 역할을 한다. 따라서 고전시대 소나타에서는 단편적인 감정이나 그림의 언어 대신 영웅의 주제(1주제)가 '으뜸조'(original key) 영역 위에 잘 서 있는지가 가장 중요하다.

그렇다면 소나타 이야기에서 '악당'이 어떻게 입증되는지도 바로 답이 나온다. 영웅이 거주하는 영토(으뜸조)와 대결하는 영토, 혹은 으뜸조가 아닌 다른 조의 영역 위에서 위협적으로(이질적으로) 등장하는 테마가 있다면 그는 소나타에서 '악당'으로서의 자격이 충분하다. 여기까지 충실히 두 인물과 각각의 영토를 소개하는 것이 소나타의 첫 번째 섹션 '제시부'(exposition)이다.

영웅(1주제)의 정체성은 확고하고 악당(2주제)의 좌표는 분명하니, 이제 영웅은 악당과 흥미진진하게 엎치락뒤치락하며 전투를 하면 된다. 따라서 소나타의 전개부(development)는 1, 2주제가 품고 있는 모티브들의 변주, 혼합, 그리고 영토들(keys)을 쉴 새 없이 옮겨가며 벌이는 치열한 '전투의 장'에 비유할 수 있다. 훌륭한 소나타 여부를 판가름하는 핵심은 바로 이 전개부의 치열함에 달려 있다.

치열한 전투 후에 소나타 이야기는 결말(재현부, reca-pitulation)에 이른다. 예상하다시피 영웅은 절대적으로 승리하도록 결론은 이미 정해져 있다. 앞서 '영주권'으로 정체성을 입증했듯이, 영웅(1주제)이 악당(2주제)을 정복했다는 것을 가장 완벽히 입증하는 방법은 2주제가 1주제의 조(으뜸조)로 완전히 통합되는 것이다. 이것이 소나타 속 이야기에서 영웅의 최종적 승리를 입증하는 소나타의 이야기 방식이다. 흥미로운 것은 재현부에 등장하는 2주제(악당)는 얼굴, 패션, 걸음걸이(선율, 화성, 리듬)가 조금도 변하지 않았다는 사실이다. 단지 2주제가 1주제의 영토(으뜸조)로 완전히 편입되어 들어갔을 뿐이다. 결국 소나타 속 '영웅-악당' 스토리는 대립하는 두 주제와 그들이 딛고 서 있는 조적 영토에 초점을 맞춰 풀어낸 이야기이다.

파란만장한 모험담

영웅 이야기가 1주제와 2주제(영웅과 악당)의 반목과 1주제가 믿고 있는 조(으뜸조)로의 대통합에 초점을 두었다면, 소나타의 전체적인 조의 흐름(으뜸조-다양한 조-으뜸조)을 시간순으로 해석할 경우 고향을 떠나 모험을 하고 돌아오는 모험담으로 읽어낼 수 있다.

소나타가 품은 모험담은 흔히 호메로스의 『오디세이아』에 비유되곤 한다. 『오디세이아』는 주인공 오디세우스의 파란만장한 모험을 그린 서사시로, 아름다운 페넬로페와 결혼한 오디세우스는 최고의 용맹스러운 군인이자 지략가이다. 그는 트로이 전쟁에서 그리스가 승리를 거두는 데 혁혁한 공을 세운 후, 이제 집으로 돌아가려 한다. 그러나 진짜 모험은 그때부터 시작 된다. 외눈박이 거인 키클롭스의 섬, 바람의 신 아이올로스의 섬, 마녀 키르케의 섬, 죽은 영혼들이 있는 지하세계, 거대한 소용돌이가 치는 카리브디스 해협, 그리고 사이렌의 유혹까지, 오디세우스는 그렇게 고향을 떠난 지 20년 만에 비로소 다시 고향 땅을 밟게 된다.

소나타의 큰 세 개의 섹션들(제시부-전개부-재현부)이 '으뜸조-조적 방황-(완전한) 으뜸조' 순시를 따르는 것은 소나타의 조적 정체성을 논증하기 위한 배열법에 따른 것이었다. 그런데 소나타의 이러한 조적 배열을 인간의 회귀 본능과 연결지을 경우 '고향(으뜸조)을 떠나 타지에서 파란만장한 모험과 방랑을 하다가(조적 방황) 고향(으뜸조)으로 되돌아온다'라는 익숙한 서사로 풀어진다.

그러니 영웅 스토리에 악당이 빠지면 안 되는 것처럼 모험담에서 빠지면 안 되는 것이 무엇일까? 바로 고향과 대치되는 '낯선 곳'이다. 오디세우스가 평생 '내가 누구인가?'에 대한 정체성의 위협 한 번 받을 일 없이 안전한 고향 땅에서만 살다 죽는다면(본인은 평탄한 삶이겠지만), 혹은 반대로 돌아갈 고향이 없는 처지라면 아무리 방황해도 일상일 뿐이다. 마찬가지로 제시부에서 '이게 내 고향이다' 하는 '으뜸조 확립'이 충실히 이뤄지지 않는다면 이후 전개부에서의 '조적 방황'은 독자에게 아무 스펙터클을 만들어내지 못할 것이고, 전개부의 '방황과 모험'이 없다면 재현부에서 '으뜸조로 회귀'도 의미가 없게 된다. 따라서 작곡가가 소나타의 제시부에서 맨 먼저 하려는 일은 모험을 떠나기 전 고향땅의 위치(으뜸조)를 제시하는 것이다. "나는 지금 X조로 시작되었고, X조 위에서 놀고 있으니, 여기가 내 고향이다"라는 주인공의 선언이 나타나는 부분인 것이다.

이렇게 제시부에서 각인시킨 고향 땅과 주인공의 자아 정체성은 이어지는 전개부에서 도전받기 시작한다. 전개부는 고향을 '떠나' 낯선 영토들을 다니며 모험을 펼치는 섹션으로, 으뜸조 아닌 조들의 영토를 방랑하는 데에는 여러 전조(조바꿈, modulation) 방법을 사용하게 된다.[29] 이런 다양한 전조 방

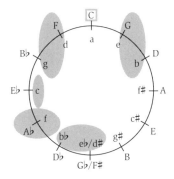

베토벤,〈피아노 소나타 21번 '발트슈타인'〉의 전개부 조적 방황

29   「용어 설명」'6. 전조' 참고.

식들을 활용하여, 베토벤은 종종 소나타의 전개부에서 '목표지점'을 정확히 알면서도 종종 아주 먼 낯선 땅까지 오디세우스를 데려다 놓는다. 예를 들어 베토벤의 〈피아노 소나타 21번 '발트슈타인'〉 1악장의 전개부에는 10여 개의 조를 오가며 조적 방황이 일어나는데, 원 조(C장조)에서 상당히 먼 조의 영역까지 갔다 오는 것을 볼 수 있다. 하지만 소나타의 전개부에서 청중을 혼란에 빠뜨리고, 예측을 엎고 여러 우회로를 택하는 것이 흔히 음악사 에피소드에 나오는 베토벤의 괴팍한 성격 탓은 아닐 것이다. 그렇다면 으뜸조에 '가장 짧고 효율적인' 방식으로 도달하는 소나타가 과연 훌륭한 소나타일까? 비효율의 극치로 보이는 수많은 우회로(파란만장한 모험)를 거쳐 목표지점에 어렵사리 도달하는 방식은 오디세우스 이야기와 소나타에 있어서는 정도(正道)이다.

마지막으로 재현부는 고향으로의 귀환, 서사의 완결이다. 중심 없이 온갖 조들 위에서 방랑이 영원히 끝날 것 같지 않은 전개부라도 결국 반드시 고향 땅인 '으뜸조'로 돌아온다. 타지에서의 모험이 더 파란만장했을수록 고향으로의 무사 귀환은 더욱 의미 있고 감동적으로 다가올 것이다.

셰익스피어는 세상의 이야기는 서른두 가지밖에 없다고 했다. 그러나 수많은 문학과 영화는 이 뻔한 틀 안에서 매번 조금씩 다른 방식으로 기승전결을 구현한다. 소나타도 마찬가지이다. 애초에 소나타는 귀에 즉각적이고 감각적인 즐거움을 목적으로 하는 음악이 아니라 '돌아올 수 없을 것처럼 먼 조로 갔다가 어떻게 극적으로 되돌아오는지'에 관해 치열한 조적 실험을 펼치는 음악이다. 그러니 소나타를 향유하려면 '제시부-전개부-재현부'에서의 '고향-탈향-귀향'의 큰 구조와 전개부에서의 파란만장한 모험이 조적 방황을 통해 이뤄진다는 것을 이해하고, 이를 바탕으로 소나타가 들려주는 이야기를 따라가면 된다.

소나타 이야기의 변형

앞서 소나타를 영웅 이야기(전쟁 이야기) 혹은 파란만장한 모

---

30   베토벤의 작품들은 보통 하이든의 영향이 남아 있는 초기(1795-1801), 1803년(〈교향곡 3번 '영웅'〉 초연) 무렵을 기점으로 고유의 양식이 확립되기 시작한 중기(1802-1814), 그리고 전성기와 다른 양식이 시작되는 후기(1815-1822)의 세 시기로 나뉜다.

31   에드워드 사이드는 『말년의 양식에 관하여』(도서출판 마티, 2012)에서 베토벤, 모차르트, R. 슈트라우스 등 작곡가 및 극작가 장 주네, 영화감독 람페두사 등 다양한 분야 예술가들의 이해되지 않는 말년의 퇴행적인 양식을 '말년의 양식'(the late style)으로 통찰한다. 사이드에 의하면 예술가들의 말년의 양식은 자신들의 전성기 작품들 혹은 자신의 시대적 흐름과 불화하는 듯 보이는 특성을 갖는다.

험담으로 풀어보았다. 그리고 그 정점에는 베토벤의 소나타들이 있었다. 그렇다면 베토벤이 죽은 후 소나타 속 대립하는 주제들의 전투는 훨씬 더 격렬해지고 으뜸조의 확립은 더욱 견고해졌을까?

그렇지 않다. 고전시대 초기의 하이든에서 모차르트를 거쳐 베토벤에 이르는 동안 소나타의 1, 2주제 성격이 점점 대립하는 방향으로 나아간 건 사실이다. 살펴본 대로 베토벤 소나타에 등장하는 1주제와 2주제는 남성/여성과 같은 이분법에 비유될 만큼 이질적으로 구현됐었다. 그러나 소나타 주제들의 이러한 투쟁적인 성격은 베토벤의 중기 소나타들[30]에서 정점을 찍은 후 되레 점점 모호해지면서 대립이 약화되는 방향으로 흘러가게 된다. 영웅과 악당이라는 설정 자체가 맥없이 흔들리는 것뿐만 아니라 오디세우스가 돌아갈 '고향'도 위협받게 된다.

베토벤 후기 소나타들 : '말년의 양식'[31]

이것은 베토벤의 총 서른두 개의 피아노 소나타를 통해 오디세우스가 고향 땅으로부터 얼마만큼 먼 타지들을 모험하고 돌아왔는가를 5도권상에서 살펴보면 알 수 있다.

5도권을 통해 본 베토벤 소나타의 조적 방황의 영역은 위에 보다시피 〈1번〉, 〈7번〉, 〈21번〉으로 갈수록 점점 확장되다가 마지막 소나타인 〈32번〉에서는 다시 매우 위축된다.

30

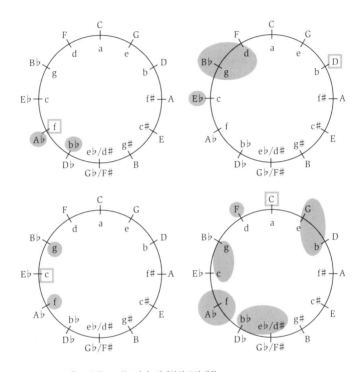

* 네모: 으뜸조 | 동그라미: 전개부의 조적 방황

30 베토벤 피아노 소나타 전개부들에 나타나는 조적 방황.
(왼쪽 위부터 시계방향으로) 베토벤 소나타 1번(초기/첫 곡), 7번(초기),
21번(중기), 32번(후기/마지막 곡)

〈21번〉은 베토벤의 서른두 개의 피아노 소나타를 통틀어 가장 독창적이고 뛰어난 것으로 평가받는 〈8번 '비창'〉, 〈23번 '열정'〉, 〈26번 '고별'〉과 함께 어깨를 나란히 하는 소나타이기도 하다. 이 소나타는 이처럼 전개부에 가장 극적인 조적 방황을 품고 있다. 특히 이 곡이 만들어진 1804년은 베토벤의 작곡 인생에 가장 큰 전환점이 되었던 〈교향곡 3번〉을 쓴 직후이다. '영웅' 교향곡으로 불리는 〈교향곡 3번〉은 대조적인 1, 2주제와 두 주제의 확장, 반복, 대결, 수용에 관한 실험과 정반합의 대통합을 이루는 베토벤의 대표곡 중 하나이다. 따라서 이 곡은 온갖 모험과 전투를 거쳐 최종 승리를 쟁취하는, 모든 부분이 모순 없는 하나의 완전체와 같은 인상을 준다.

그러나 말년에 작곡된 〈피아노 소나타 32번〉(1822)에서 조적 방황도는 1번 소나타만큼이나 매우 낮다. 즉 오디세우스는 5도권 상에서 으뜸조를 기준으로 양옆의, 가장 가까운 이웃하는 조들의 영역만 조금 탐색하다 고향으로 돌아간다. 모험을 하지 않는 것이다. 초기와 후기 소나타의 조적 방황이 유사하게 나타나는 건 사실이지만 1, 2주제의 정체성, 대립의 강도 등 맥락으로 보면 둘은 현저히 다른 동기를 갖는다. 즉 전자가 타지에 대한 두려움, 낯설음 때문이라면 치열한 모험과 방랑의 실험을 거친 후 나온 후자의 소극적인 면모는 무언가 내려놓은 체념에서 나온다.

이런 후기 소나타의 특징들에 주목한 것이 바로 음악학자 아도르노였다. 그는 베토벤의 피아노 소나타 전개부에서의 조적 모험과 방황이 중기 소나타에서 최대에 이른 후, 베토벤의 후기 피아노 소나타들이 그때까지 쌓아온 온갖 기술의 최정점이 아니라 오히려 퇴보, 퇴행하는 형태를 보인다는 점을 지적한다. 예를 들면 베토벤 말년에 작곡된 31번의 경우 오른손 선율에 다섯 번 연속 꾸밈음이, 왼손 베이스에는 여섯 번 연속 트릴이 병치되고 왼손 화음들을 낮은 음역에 촘촘히 배치해 지저분하고 둔탁한 소리를 낸다. 한마디로 이유 없는 과도한 장식이나 음향에 대한 기본 이해조차 없는 아마추어나 할 일을 거장인 베토벤이, 그것도 말년의 소나타에서 시도한 것이다. 아도르노는 이렇듯 별 의미 없는 수사학적 기교들, 종합이 불가능해 보이는 단편들의 병치, 전성기 때 보여준 치밀하고 유기적인 전개가 아닌 대체로 무심해 보이는 음악의 전개 등, 총체적으로 미완성의 인상을 주는 베토벤의 후기 양식이 베토벤의 작곡 기술이 진짜로 퇴보한 것이 아니라 인생에 죽음의 그림자가 드리우면서 소나타를 바라보는 그의 시각에 어떤 변화가 생겼을 것으로 보았다.

정체성, 고향, 영웅의 상실

이런 생각을 해볼 수 있다. 어떤 사람이 온 힘을 다해 악마와 싸워왔다. 그런데 어느 날 (그 악마는 먼 곳의 낯선 적군이 아니라) 내면에 잠재되어 있던 나의 일부임을 갑자기 깨닫게 된 것이다. 리스트의 〈파우스트 교향곡〉에 등장하는 파우스트 박사와 악마 메피스토펠레스가 그러하다. 1악장에 등장하는 우유부단한 지식인 '파우스트'의 테마가 악마 '메피스토펠레스'라는 부제의 4악장 내내 주된 모티브로 쓰이는 것은 아이러니하다. 톨킨의 소설을 바탕으로 만든 영화 「반지의 제왕」에 등장하는 여러 선한 인물들도 세상의 모든 권력을 누리게 해주는 절대 반지 앞에서는 순간 기괴한 모습으로 변해버린다. 정체성에 회의가 한 번 들기 시작하면 '과연 누가 선이고 악일까?'의 문제는 묘해지고 자연스럽게 투쟁의 의지도 상실하게 될 것이다.

베토벤 사후, 낭만주의 시대에 접어들면서 200여 년을 호령했던 '으뜸조의 왕국'은 점차 무너진다. 낭만주의 음악이 막 태동하기 시작한 19세기 전반의 멘델스존, 슈만, 쇼팽의 음악들까지는 그래도 아직 으뜸조의 권위를 지킨다. 하지만 공적으로 이를 지향할 뿐, 음악은 점점 불가항력에 이끌리듯 으뜸조를 포기하는 방향으로 흘러간다. 쇼팽의 〈피아노 협주곡 2번〉(1830)과 같은 음악에는 섹션들 사이에 도미넌트 영역이 매우 길어지는 경향이 나타나고, 바그너의 《트리스탄과 이졸데》(1859) 서곡에는 으뜸조로 수렴되는 제스처 없이 한없이 이런저런 조들의 도미넌트에서 도미넌트로 이어진다. 도미넌트 영역이 한없이 커져 음악 전체를 지배하는 현상은 이런 면에서 소나타 2주제의 확장 버전들이라 할 수 있다.

그럼 1주제는 뭘하고 있을까? 2주제가 뻗어나가는 동안 1주제는 스스로 자신의 정체성을 끊임없이 불안해하면서 2주

32　맥클래리의 견해에 따르면 19세기 후반에 작곡된 브람스의 〈교향곡 3번〉 I악장에서 1주제는 마치 프로이트의 '오이디푸스 콤플렉스'를 가진 남성처럼 자기가 서 있는 조성에 대해 곡이 마칠 때까지 확립하지 못하고 망설이는 제스처를 보이며, 2주제는 1주제와 경쟁한다는 개념조차 없이 순진무구한 얼굴을 하고 나타난다(수잔 맥클래리,『페미닌 엔딩: 음악, 젠더, 섹슈얼리티』, 예솔, 2017).

33　카프리치오(capriccio)는 '변덕스러움', '일시적인 기분'이라는 뜻의 이탈리아어. 17–18세기에 프레스코발디, 바흐 등이 주로 건반악기를 위해 쓴 푸가 형식 곡을 시작으로 19세기에는 자유로운 아이디어를 펼친 소품들을 가리키는 용어로 쓰였다. 베버, 멘델스존, 브람스의 피아노 작품들과 차이콥스키의 〈이탈리아기상곡〉, 림스키코르사코프의 〈스페인기상곡〉 등이 있다.

34　랩소디(rhapsody)는 형식과 내용 면에서 자유롭고 환상적인 성격의 기악곡을 가리킨다. 리스트의 〈헝가리안 랩소디〉, 거슈인의 〈랩소디 인 블루〉, 라벨의 〈스페인 광시곡〉, 라흐마니노프의 〈파가니니 주제에 의한 랩소디〉 등이 유명하다.

35　교향시(symphonic poem)는 리스트가 〈타소, 비탄과 승리〉(1849)라는 관현악곡에 처음 사용한 용어이다. 이후 문학, 역사, 회화 등에서 소재를 가져와 묘사적 기법보다는 주관적이고 시적인 표현에 중점을 둔 낭만주의 표제음악을 가리키게 된다. 리스트의 〈마제파〉, R. 슈트라우스의 〈죽음과 변용〉, 시벨리우스의 〈핀란디아〉 등이 있다.

제 정복은 커녕 자신의 조적 영역도 겨우 유지해나간다. 그래서 브람스의 〈교향곡 3번〉 1악장에서 비으뜸조들(상징적인 의미로 도미넌트에서 확장된 조)에 장악되는 것처럼 보이기도 하고[32] 스크랴빈의 〈소나타 2번〉(1897)의 경우처럼 2주제가 1주제의 조로 통합되거나 2주제 자신의 조를 확립하지도 않은 채, 제3의 엉뚱한 길을 택하기도 한다.

소나타 속 이분법의 전쟁이 오래전에 종식된 것만은 분명하다. 그러나 어느 한쪽이 완벽히 승리를 거둠으로써 종식되었다고 할 수는 없다. 그저 시간이 흐를수록 이처럼 소나타의 주제들은 '영웅-악당', '남성-여성' 따위의 이분법을 넘어 점점 다양한 독해 가능성을 갖게 된 것이다. 소나타를 넘어 자유롭고 직관적 흐름을 중시하는 판타지, 카프리치오,[33] 랩소디[34]와 같은 무형식의 유행, 시인의 감수성과 영감이 흘러가듯 작곡가의 번뜩이는 즉흥성과 천재성에 따라 자유롭게 조를 운용해나가는 교향시,[35] 음악 자체가 지닌 충동성을 반영하는 바그너의 음악극 등등, 낭만주의 시대 음악들에는 하나의 견고한 주제를 위해 다른 주제나 모티브들이 들러리가 되지도 않고, 혹은 어떤 구속하는 힘도 의식하지 않으려는 듯이 아도르노의 표현대로 '종합되지 않는 단편들'을 지녔던 베토벤의 말년의 양식적 특성들을 닮아 있다.

한편 베토벤의 후기 소나타에서조차 지켜졌던 '고향-

탈향-귀향'의 문제에도 균열이 생긴다. 1878년에 작곡된 차이콥스키의 〈교향곡 4번 F단조〉 1악장의 경우 으뜸조를 제시하고 확립해야 하는 제시부와 재현부 섹션들에서 조적 중심의 이동은 한 옥타브를 정확히 4등분 한 'F조-A♭조-B조-D조'로 나타난다. 즉 조적 중심이 생기는 현상을 되레 배제하는 듯 보이는 것이다. 베토벤의 후기 소나타들이 체념적으로 고향 주변에만 소소히 머무르는 모양새였다면, 이러한 조적 운용은 반대로 고향도 타지도 없는 이방인의 행보를 떠올리게 한다. 이런 식으로 소나타와 교향곡에서는 이제 '고향을 떠나 방황하다 돌아온다'는 기본 틀 마저 와해되어버리고, 집 나간 주인공은 더 이상 고향으로 되돌아오지 않는, 진정한 의미로 '돌아올 고향이 없는' 일들이 발생하게 된다. 따라서 원 조에서 멀리 벗어나 방황하는 것이 고전시대 소나타에서 의도적인 이탈이었다면 이제는 방랑이 일상으로 자리 잡게 되면서 더 이상 고전적인 소나타의 대결 구도로는 아무런 스펙터클도 생성되지 않는 극단의 상황까지 나아갔다고 볼 수 있다.

　자아정체성의 균열, 돌아갈 고향에 대한 회의. 소나타가 처한 운명은 오늘날 어느 누구에게도 결코 낯선 이야기가 아니다. 레오 카락스 감독의 영화 「홀리 모터스」에 나오는 주인공의 처지도 이러하다. 그는 사업가, 걸인, 살인자, 음악가 등 하루에 아홉 번이나 가면과 분장을 바꾸고 살아간다. 그 아홉 가지 역할 중 어느 것이 그의 정체성이라고 말하기 어렵다. 마지막 장면에서 고단한 역할극들을 마치고 귀가하는 '집' 역시 황당하기 그지없다. 밤에라도 안락한 자신의 거처에서 휴식을 취하면 좋으련만 도착한 그의 집은 묘지와 매우 흡사한 외양의 주택이다. 더구나 그를 반갑게 맞이한 아내와 아이들은 사람이 아닌 침팬지들로, 우리가 인간인지 동물인지, 심지어 살았는지 죽었는지의 인식에조차 의문이 들게 한다.

「홀리 모터스」가 현대인의 자아정체성과 돌아갈 고향에 대한 의문을 던지는 우리의 처지를 그렸다면 현대인의 체념과 절망을 너무나 잘 보여준 또 다른 영화가 있다. 바로 프랭크 대러본트 감독의 영화 「미스트」이다. 이 영화에서 사람들은 정체를 알 수 없는 '안개 속 거대한 괴물'과 싸운다. 주인공은 위기의 순간마다 깊은 고심 끝에 판단을 내린다. 하지만 그 합리적 판단과 주인공의 용기가 그들을 데려다놓은 곳은 비참할 정도로 최악의 상황이다. 영화 말미에 가서 보면 처음부터 그냥 운명에 맡겨버렸든, 아니면 가장 이성적인 선택을 했든 간에 결말은 전혀 다를 게 없었음을 깨닫게 된다.

19세기 말 산업혁명이 일어나면서 장밋빛 미래를 꿈꾸던 사람들의 처지가 이러했을 것이다. 20세기 두 차례의 세계대전을 겪으면서 비로소 기술의 발전이 가져올 수 있는 최악의 상황을 거의 처음 피부로 깨닫기 시작했고, 이 무렵 예술분야의 다다이즘은 극에 달하는 것을 보게 된다. 다양한 분야의 예술가들이 개인의 종말이 가까워서야 비로소 절실히 느꼈던 작품 완성에의 무력감과 체념을 현대인은 일상적으로 느끼고 살며, 오늘날의 대중은 정체성이 불확실하고 여러 모순되는 상황들을 껴안은 채로 그럭저럭 삶을 영위해간다. 이러한 태도는 재료들을 의미 없이 병치하거나 극도로 단순하게 처리해버리는 현대예술의 한 특징이자 말년의 양식을 닮아 있다.

소나타는 이성과 합리를 최우선으로 여겼던 서구의 계몽주의 시대에 가장 유행했던 음악으로, 얼핏 우리와 굉장히 동떨어진 것처럼 느껴진다. 하지만 소나타는 당시 유행하던 사상, 역사, 이야기가 스며 있는 음악이었고 소나타가 나아간 방향 역시 현대인의 삶의 방향과 다르지 않았음을 볼 수 있다. 20세기 이후 등장한 다양한 시류의 음악들은 여전히 우리에게 매우 낯설고, 먼 미래에 나올 음악이 어떠할지 예상할 수 없다. 하지만 한 가지는 분명하다. 어떤 새로운 음악이 출현하고 유행하든, 그 음악은 소나타가 맞닥뜨렸던 운명과 마찬가지로 우리의 삶이 자연스럽게 녹아 있는 소리들로 나타날 것이라는 사실이다.

용어 설명

I. 음정(音程, interval)

음정은 음과 음의 간격을 말한다. 온음계(diatonic scale, 흰 건반)는 첫 음 '도'로부터 각각 완전1도, 장2도, 장3도, 완전4도, 완전5도, 장6도, 장7도, 완전8도의 음정으로 되어 있다.

여기에 검은 건반(반음)이 사용될 경우 음정은 넓어지거나(증) 좁아진다(단, 감).

예)

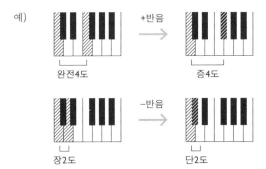

2. 피타고라스 음률, 순정률, 평균율

이 책에서는 1) '3화음(도미솔)이 얼마나 서로 잘 어울리는가?'
와 2) '자유로운 전조가 가능한가?'를 중심으로 세 종류의 조
율법을 간단히 소개한다.

  I) 피타고라스 음률(기원전 400년경, 피타고라스)

- 고대 그리스의 피타고라스는 기본음의 한 옥타브 위의 음은
  진동수가 2배가 된다는 사실(1:2)과, 기본음의 완전5도 위
  음은 진동수가 1.5배(2:3)라는 사실을 발견.
- 이 두 가지 사실을 토대로 음정들의 진동수비를 계산할 수
  있다.

도	레	미	파	솔	라	시	도(옥타브)
1	9/8	81/64	4/3	3/2	27/16	243/128	2

진동수비가 간단한 정수비로 떨어지는 두 음일수록 깨끗하게
들리는 반면, 복잡한 비를 가질수록 맥놀이(혹은 늑대 우는 소
리 같다 하여 울프톤)가 발생하게 된다.

– 보다시피 피타고라스 음률에서 간단한 정수비를 갖는 음정은 완전1도, 완전4도, 완전5도, 완전8도(중세 교회가 채택한 네 개의 협화음정들이기도 함).

– 3화음(도미솔)의 진동수비는 64:81:96. 즉 3화음의 어울림이 깨끗하지 않다.

– 반음의 간격이 다르므로 12개의 장단조로 자유로운 전조는 불가능.

   2) 순정률

– 자연배음*을 토대로 온음계 음정들의 진동수비를 계산한 것.

도	레	미	파	솔	라	시	도(옥타브)
1	9/8	5/4	4/3	3/2	5/3	15/8	2

※   자연배음(overtones)이란 하나의 음(근음)이 진동할 때 정수배로 함께 진동하는 음들.

- 보다시피 온음계 음정들의 어울림이 가장 좋다(간단한 정수 비를 이룸).
- 피타고라스 음률에서 '16384:19683'의 엄청 복잡한 비를 갖는 '단3도' 역시 순정률에서는 '5:6'이라는 매우 간단한 비로 해결됨.
- 깨끗한 장3도가 얻어짐에 따라 3화음의 진동수비는 4:5:6. 세 조율법 중 가장 어울림이 좋다.
- 반음들의 간격이 달라 12개의 장단조로 자유로운 전조는 불가능.

3) 평균율(17세기경)

- 한 옥타브를 구성하는 열두 반음의 간격을 전부 동일하게 규격화함.

도	#도	레	#레	미	파	#파	솔	♭라	라	♭시	시	도
1	$\sqrt[12]{2^1}$	$\sqrt[12]{2^2}$	$\sqrt[12]{2^3}$	$\sqrt[12]{2^4}$	$\sqrt[12]{2^5}$	$\sqrt[12]{2^6}$	$\sqrt[12]{2^7}$	$\sqrt[12]{2^8}$	$\sqrt[12]{2^9}$	$\sqrt[12]{2^{10}}$	$\sqrt[12]{2^{11}}$	2

- 보다시피 옥타브(1:2) 외에는 정수비로 도출되는 음정이 없음.
- 3화음의 진동수비는 $1:\sqrt[12]{2^4}:\sqrt[12]{2^7}$로, 피타고라스 음률에서 도출된 3화음보다는 잘 어울리나 순정률의 3화음보다는 어

울리지 않는다. 즉 피타고라스 음률과 순정률에서 어울리던 완전1, 4, 5, 8도의 완벽성을 다소 포기하는 대신 어떠한 음들 간에도 '적당히' 어울리는 타협안을 찾음.

- 모든 반음의 간격이 동일하기 때문에 12개의 장조와 단조 어디든 자유로운 전조가 가능하다는 것이 평균율의 최대 장점.
- 평균율로 인해 18-19세기 고전시대 소나타의 전개부에서 다양한 전조(조적 방황)가 가능해짐.

3. 선법(modes)

선법은 고대 그리스에서 네 개의 음이 하나의 음계 세트를 이루는 테트라코르드오(tetracordio)를 바탕으로 만들어졌다. 고대 그리스에는 옥타브를 토노스(온음)를 중심으로 c-f, g-c의 네 음으로 된 두 세트의 테트라코르드오가 음계의 기본 개념이었다. 이 두 세트는 동일하게 온음, 온음, 반음의 순서로 되어 있어 서로 상응하는 관계를 갖는다.

고대 그리스가 우주의 원리에 대한 사유로부터 이와 같은 선법의 개념을 이끌어냈다면, 중세기에는 교황권의 강화를 위해 8-9세기경 중세 교회에서 고대 그리스의 음악이론을 가져와 '교회선법'(Church modes)으로 정리했고, 나중에 두 종의 선법이 추가되어 교회선법은 12종으로 확정되었다.

- 7종의 선법의 구성 방식: 온음계(흰 건반)의 도레미파솔라시 각각에서 출발하여 한 옥타브 위까지 한 세트로 묶으면 그것이 각 선법을 이루는 하나의 음계 팔레트가 된다.

(밑줄: 반음 간격)

선법	종지음	스케일
이오니아(Ionian)	도	도-레-미-파-솔-라-시-도
도리아(Dorian)	레	레-미-파-솔-라-시-도-레
프리지아(Phrygian)	미	미-파-솔-라-시-도-레-미
리디아(Lydian)	파	파-솔-라-시-도-레-미-파
믹솔리디아(Mixolydian)	솔	솔-라-시-도-레-미-파-솔
에올리아(Aeolian)	라	라-시-도-레-미-파-솔-라
로크리아(Locrian)	시	시-도-레-미-파-솔-라-시

간격 순서는 동일하게 놓되 선법들의 시작음을 전부 '도'에 맞출 경우, 아래 표와 같이 각 선법에 없던 '♯'이나 '♭'이 생긴다.

(*은 그 선법의 특징음)

C-Ionian	도	레	미	파*	솔	라	시	없음
C-Dorian	도	레	미♭	파	솔	라*	시♭	♭♭
C-Phrygian	도	레♭*	미♭	파	솔	라♭	시♭	♭♭♭♭

C-Lydian	도	레	미	파#*	솔	라	시	#
C-Mixolydian	도	레	미	파	솔	라	시♭*	♭
C-Aeolian	도	레	미♭	파	솔	라♭*	시♭	♭♭♭
C-Locrian	도	레♭	미♭	파	솔♭*	라♭	시♭	♭♭♭♭

이것을 다시 '#' 부터 '♭'이 많이 붙는 순서로 배열해 보면 아래와 같다.

C-Lydian	도	레	미	파#	솔	라	시	#
C-Ionian	도	레	미	파	솔	라	시	없음
C-Mixolydian	도	레	미	파	솔	라	시♭	♭
C-Dorian	도	레	미♭	파	솔	라	시♭	♭♭
C-Aeolian	도	레	미♭	파	솔	라♭	시♭	♭♭♭
C-Phrygian	도	레♭	미♭	파	솔	라♭	시♭	♭♭♭♭
C-Locrian	도	레♭	미♭	파	솔♭	라♭	시♭	♭♭♭♭♭

'#' 계열의 조는 밝은 느낌, '♭' 계열의 조는 어두운 느낌이라고 할 때 '리디아' 모드가 가장 밝고 '로크리아' 모드가 가장 어둡다고 할 수 있다.

← 밝음(장조 계열)			(단조 계열) 어두움 →			
리디아	이오니아	믹솔리디아	도리아	에올리아	프리지아	로크리아

위의 표는 장/단음계를 기준으로 7종의 모드를 밝은 것부터 어두워지는 순서로 배열한 것이다. 이것은 사람들이 각 모드에서 느끼는 정서와 대체로 일치한다.

출처: 장기호, 『나는 모드로 작곡한다』(예솔, 2017)

모드	심리적 느낌
리디아	도시적이고 밝은 느낌
이오니아	가장 안정적이고 편안한 느낌, 만족감
믹소리디아	공중에 떠 있는 느낌, 이동하는 듯한 느낌
도리아	생각에 잠긴 듯한 느낌
에올리아	어둡지만 로맨틱한 느낌
프리지아	이국적이고 어두운 느낌
로크리아	정서적으로 불안하고 두려운 느낌

온음/반음 순서 차이에서 발생하는 각 모드의 심리적 정서는 어디까지나 통계에 따른 것으로, 모든 사람에게 적용되는 것은 아닐 수 있다. 7종의 선법들은 수직 또는 수평으로 얼

마든지 혼합되어 쓰일 수 있으며, 특별한 전조 방법 없이 선법에서 선법으로 자유롭게 이동할 수 있어 음악의 전개에 있어 장/단 음계보다 많은 잠재성을 지닌다.

4. 음계와 조성(tonality)

- 음계는 '한 옥타브(1 : 2)를 어떤 식으로 분할할 것인가'의 문제이다.
- 온음 간격으로만, 혹은 반음 간격으로만 분할할 수도 있고 (균등 분할) 온음과 반음이 섞인 간격으로 분할할 수도 있다 (불균등 분할).
- 온음과 반음이 뒤섞인 불균등 분할 음계의 경우 (마치 공이 평면보다는 경사진 쪽으로 더 잘 굴러가는 것처럼) 선율에서 '반음'으로 진행하려는 힘은 '온음'으로 진행하려는 힘보다 강하다.

장음계(major scale)

장음계는 3-4음(미-파)과 7-8음(시-도)이 반음으로 된 불균등 분할 음계이다. 으뜸음 '도'를 중심으로 구성음들 간에 확실한 위계를 갖는다.

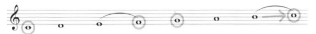

Tonic Super-tonic Mediant Sub-dom. Dominant Sub-med. Leading-tone Tonic

장음계

– 라틴어로 '군주' '중심'이라는 뜻을 가진 토닉(Tonic, 도), '왕국' '우세한'이라는 뜻을 가진 도미넌트(Dominant, 솔), 그리고 토닉의 아래로 도미넌트 관계에 있는 서브도미넌트(Sub-dominant, 파)가 장음계를 이루는 주된 세 음이다. 특히 일곱번째 음 '시'는 이끔음(Leading tone)으로서 반음 진행을 통해 으뜸음 '도'를 강조하는 효과를 낸다.

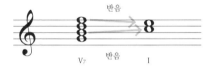

딸림화음(V7)에 들어있는 두 반음들(미–파, 시–도)은
으뜸화음(I)으로 진행한다.

– 조성음악(tonal music)은 장/단음계에서 반음 사이에 진행하려는 힘을 최대로 활용하여 중심음, 나아가 중심조를 뚜렷이 형성하는 음악을 말한다.

용어 설명

5. 종지(cadences)

종지는 음악의 문장을 마치는 제스처를 말한다. 아래는 3화음 체계가 확립된 고전시대 음악의 종지들로, 맥락과 강도에 따라 여러 유형이 있다.

1) 정격종지(AC, authentic cadence) : V–I

딸림화음(V 또는 V7)이 으뜸화음(I)으로 진행되는 종지. 조성 음악에서 문장을 맺는 어법으로 문장으로 치면 '~이다'에 해당한다. 종결하는 강도의 차이에 따라 두 종류가 있다.

● 완전 정격종지(PAC, perfect authentic cadence)

완전히 문장을 맺는 종지. 확고한 종결의 뉘앙스를 주려면 두 가지 사항을 갖춰야 하는데, 1) 딸림화음(V)과 으뜸화음(I) 둘 다 '기본위치'로 되어 있어야 하고, 2) 이때 소프라노는 으뜸음 '도'로 마쳐야 한다.

예)

● 불완전 정격종지(IPC, imperfect authentic cadence)

완전 정격종지의 두 사항 중 하나라도 어긋날 경우 불완전 정격종지가 된다. 즉 딸림화음과 으뜸화음 두 화음 중 기본 위치가 아닌 전위 위치가 하나라도 있거나 소프라노 성부가 '도' 아닌 '미'나 '솔'이면 전체적으로 종결의 강도가 약해진다.

예)

2) 위종지(DC, deceptive cadence) : V–vi

종지해야 할 부분에서 딸림화음이 으뜸화음 대신 으뜸화음의 '대리화음'인 vi 화음으로 진행할 때 조성음악의 정격종지(V–I)를 기대하는 심리와 어긋나는 위종지(가짜 종지)가 된다. 위종지를 사용하면 음악이 종결하지 않고 정격종지를 유예시키며 다음으로 계속 진행하게 된다.

예)

301

3) 변격종지(PC, plagal cadence) : IV–I

'딸림화음 → 으뜸화음(V-I)'의 정격종지가 아닌, '버금딸림화음 → 으뜸화음(IV-I)'으로 문장을 종결하는 것이다. 역사가 오래된 종지형으로, 중세 그레고리오 성가에도 사용되었다. 찬송가 끝의 '아멘'에 많이 쓰여 '아멘 종지'로 불리기도 한다.

예)

4) 반종지(HC, half cadence) : ~V

문장이 끝나는 부분에 등장하는 정격종지나 변격종지와 달리 한창 이야기가 진행되는 중간부에서 잠시 호흡하는 '쉼터' 같은 종지이다.

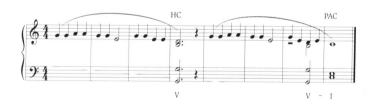

6. 전조(轉調, modulation)

전조는 조성 음악에서 조적 중심이 이동하는 것을 말한다. 크게 세 가지 형태가 있다.

1) '온음계적 전조'

이것은 '현재 조'와 '도달하려는 조'가 공통적으로 보유하고 있는 화음(pivot chord)을 사용해 순차적으로 전조하는 방식이다. 온음계적 전조 방식은 오늘날의 '전철 노선도'와 비슷하다. 다른 지역으로 가기 위해 환승역을 찾아 전철을 갈아타야 하는데, 이때 공통화음이란 하나의 조에서 다른 조로 이동하는 과정에 필요한 '환승역' 역할을 한다. '5도권'의 친분 정도에 따라 두 조가 보유한 공통화음 개수는 많게는 네다섯 개, 친분이 먼 조들 간에는 보유한 공통화음이 한 개 뿐이거나 아예 없다.

C장조에서 전조 가능한 지점들(pivot chords)

	1	2	3	4	5	6	7	C장조 (노선) / (환승역)
	○		○		○	○		G장조
			○		○			D장조
	○	○		○		○	○	a단조
	○							F단조
								E♭장조

예를 들어 'C장조'에서 'D장조' 영역으로 건너가려고 할 때 찾아야 하는 환승역은 총 두 군데(3번과 5번) 있는 걸 볼 수 있다. C장조와 5도권상에 가까이 있는 조들은 G장조, F장조, A단조 등인데 앞의 노선표에서 확인할 수 있듯이 이러한 '근친조'들과는 환승할 수 있는 지점들이 네다섯 개나 되지만, 5도권상에서 먼 조들인 E♭장조나 F단조와는 환승역이 아예 없거나 한 개뿐이다.

2) '반음계적 전조'

이것은 현재 조에는 '없는 음'이면서, 도달하려는 조에는 반드시 있는 '특징음'을 향해 선율이 반음 위 또는 아래에서 그 특징음을 향해 순차적으로 접근하여 전조를 이뤄내는 방식이다. 동요 〈겨울 바람〉 선율에는 자연스러운 반음계적 전조가 나온다.

〈겨울 바람〉은 계속 C장조로 진행되다가, E단조로 전조를 시도한다. 이 때 선율은 E음에서 D#음으로 자연스럽게 반음 진행하면서(화살표) 금세 전조를 이뤄내고 있다. 반음계적 전조

는 이런 식으로 목표로 하는 조의 특성을 좌우하는 '특징적인 음'의 반음 옆으로 슬쩍 접근하면서 온음계적 전조의 단계적 환승 절차보다 훨씬 간단하게 조의 영역을 이동하게 해준다.

3) 이명동(화)음 전조

'다른 이름 한 소리'를 뜻하는 이명동음(異名同音)은 피아노 건반을 떠올려보면 간단히 이해할 수 있다. '도'와 '레' 사이의 검은 건반은 어떤 때는 도♯, 어떤 때는 레♭으로 부를 수 있는데, 이런 음들을 서로 '이명동음 관계에 있다'고 한다. 12음은 전부 이렇게 샤프(♯)나 플랫(♭)의 이명동음으로 표기될 수 있다. 이명동(화)음 전조는 근본적으로 온음계 전조의 전철역 환승 방식과 동일하다. 그러나 온음계 전조가 주로 5도권 상에서 친분이 있는 가까운 조들로 전조되는 방식인 데 비해, 이명동(화)음 전조는 샤프 계열의 조에서 플랫 계열의 조처럼 서로 먼 관계에 있는 조로 단숨에 전조하는 방식이다. 따라서 이 전조는 보통 음악의 분위기가 전환되거나 가장 극적인 상황에 있을 때 자주 쓰이며, 감상 시 효과가 매우 드라마틱하다.

쇼팽, 〈환상곡〉 중 이명동음 전조 부분

7. 푸가(Fuga)

푸가는 주제를 독립적인 여러 성부들이 끊임없이 이어받으며 도망치듯이(fuga) 유려하게 흘러가는 음악의 한 형식이다.

주제(subject): 맨 앞에 으뜸조에서 제시되는 단선율

응답(response): 제시된 주제를 다른 성부가 딸림조로 받아 재현하는 것

대주제(countersubject): 응답의 약간 뒤에서 제시되는, 주제와 대비적 형태의 또 다른 주제 선율

맨 앞에서 주제와 응답, 대주제가 제시된 후 여러 성부를 순환한다(제시부, exposition). 이후 회유부(divertissement)를 통해 전조되면서 관계조 영역들(버금딸림조, 나란한 조 등)을 거치다가 성부 간 모방(카논, canon) 간격이 짧아지면서 주제가 오버랩 되는 구간(스트레토, stretto)에서 음악이 정점에 이른 후 원 조로 돌아와 마친다(종결구, closing section).

푸가의 예 J. S. 바흐의 〈푸가 C장조〉의 주제(S), 응답(R), 대주제(CS)와 곡의 짜임새

exp.1	div.	exp.2	div.	exp.3	exp.4	div.	closing
주제, 응답, 대선율	전조		전조	stretto		전조	
C		a		F, d	G		C

8. 소나타 형식(sonata form)

소나타(sonata)는 원래 기악음악을 총칭하는 말이었으나 18세기 고전주의 시대로 와서 소나타 1악장의 형식을 가리키는 용어로 한정된다.

1주제와 2주제: 소나타 형식에서는 보통 두 개의 대조적인 주제들이 등장한다.

- 짜임새의 대조성: 보통 1주제는 수직형의 두터운 화음 위주로 강한(f) 다이내믹을 갖는 반면, 2주제는 수평형의 흐르는 선율 위주로 약한(p) 다이내믹을 갖는 형태로 제시된다.
- 조적 대조성: 조적 면에서 1주제는 으뜸조, 2주제는 으뜸조가 장조인 경우 완전5도 위의 딸림조, 으뜸조가 단조일 경우 단3도 아래의 나란한 조 등, 주로 근친조상에서 제시된다.

제시부: 1주제를 으뜸조 위에 제시한 후 경과구에서 가벼운 전조를 거쳐 딸림조 위에서 2주제를 제시한다.

전개부: 1, 2주제, 경과구 등 제시부에 등장했던 여러 요소들을 상세하게 풀어내거나 새롭게 조합하는 등 여러 변형을 선보인다. 이때 다양한 조적 방향이 동반되며 원 조에서 아주 먼 조까지도 조적 이동이 일어나면서 스펙터클을 극대화하기도 한다. 그러다 전개부 막바지에서는 다시 으뜸조로 회귀할 준비를 하며 재현부로 넘어간다.

재현부: 기본적으로 제시부를 거의 동일하게 반복하는 섹션으로 1주제가 다시금 으뜸조 위에서 재현된다. 다만 2주제는 딸림조가 아닌 '으뜸조' 위에서 재현된다는 것이 제시부와의 가장 뚜렷한 차이점이다. 이로써 소나타 형식은 '으뜸조'를 강하게 확립하는 쪽으로 귀결된다.

코다: 코다(coda)는 이탈리아어로 '꼬리'라는 뜻으로, 제시-전개-재현 과정을 마친 음악이 최종적으로 으뜸화음(I)과 딸림화음(V)을 반복하면서 으뜸조를 다시 한번 확인하면서 마치는 부분이다.

소나타 형식의 예 베토벤의 〈피아노 소나타 3번〉(Op.31) 1악장 1주제
(위)와 2주제(아래). 대조적인 짜임새로 되어 있다.

(*장조는 대문자, 단조는 소문자로 표기함)

A		B	A′	Coda
제시부		전개부	재현부	코다
1주제	2주제	1, 2주제 활용	1, 2주제 재현	종결
E♭(으뜸조)	B♭(딸림조)	c-C-F-A♭-f (다양 전조)	E♭(으뜸조)	E♭(으뜸조)

대조적인 1, 2주제와 '제시-전개-재현-코다'의 각 섹션
마다 달성해야 할 조적 프레임이 있다는 것이 소나타 형식의 핵
심이다.

참고문헌

Deryck Cooke, *The Language of Music*, Oxford University Press, 1958.

김문경, 『김문경의 구스타프 말러』, 밀물, 2010.

김미애, 「바로크 시대의 감정이론(Affektenlehre)에 관한 고찰」, 『이화음악논집』, 제3호, 1999.

김미옥, 「수사학과 독일음악이론」, 『낭만음악』 제18권 제4호, 2006.

_____, 「원전연구를 통해 본 중세 초·중기의 음악이론」, 『서양음악학』 제6호, 2004.

더들라스 그린, 『조성음악의 형식』, 삼호뮤직, 1998.

데이비드 맥클리리, 『클래식, 현대음악과의 만남』, 포노, 2012.

도날드 그라우트 외, 『그라우트 서양음악사』, 이앤비플러스,

2013.

디터 델라 모트,『대위법』, 음악춘추, 2013.

디터 들 라 모테,『화성학』, 음악춘추, 2011.

마르셀 프루스트,『잃어버린 시간을 찾아서』, 민음사, 2013.

마이클 크라우츠 엮음,『음악은 아무것도 말하지 않는다』,
　　　음악세계, 2012.

막스 베버,『음악사회학』, 1993, 민음사, 1993.

백기풍 · 김미경 · 이봉기,『베토벤 32곡의 피아노 소나타 전곡
　　　분석과 연주법』, 작은우리, 1993.

사무엘 아들러,『관현악기법연구』, 수문당, 2007.

송무경,『연주자를 위한 조성음악 분석』, 예솔, 2016.

_____ ,「음악적 통일성과 응집력의 보고로서의 모티브」,
　　　『서양음악학』 제18권 제3호, 2015.

수잔 맥클래리,『페미닌 엔딩: 음악, 젠더, 섹슈얼리티』, 예솔,
　　　2017.

안수환 · 송무경,「'메피스토 왈츠'에 반영된 에로티시즘과
　　　악마주의: 레나우, 리스트, 골드스미스」,『서양음악학』
　　　제20권 제2호, 2017.

여수진,「올리비에 메시앙의 '새의 카탈로그' 분석 및
　　　지도내용」, 한국교원대학교 대학원 석사학위논문,
　　　2012.

에두아르트 한슬리크,『음악적 아름다움에 대하여』, 책세상,
　　　2015.

에드워드 사이드·다니엘 바렌보임,『평행과 역설』, 마티,
　　　2011.

　　　　　　　　　　 ,『말년의 양식에 관하여』, 마티, 2012.

　　　　　　　　　　 ,『오리엔탈리즘』, 교보문고, 2013.

오희숙,『음악 속의 철학』, 심설당, 2009.

이건용,『작곡가 이건용의 현대음악강의』, 한길사, 2011.

이미배,「푸가와 캐논적 정신: 슈만 음악에서 반복의 의미에
　　　대한 고찰」,『음악과문화』제31호, 2014.

이진경,『노마디즘』, 휴머니스트, 2009.

장기호,『나는 모드로 작곡한다』, 예솔, 2017.

전상직,『메시앙 작곡기법』, 음악춘추, 2008.

전인평,「아랍음악의 이해」,『음악과문화』창간호, 1999.

정동진·김재호,「애니메이션 내러티브의 사건에 적용된
　　　클래식음악의 역할 연구: 월트 디즈니의 극장용 작품
　　　"판타지아" 중심으로」,『백석논단』제1호, 2010.

정혜윤,「음악의 은유적 패러다임에 대한 연구: 수사로서의
　　　음악」,『한국미학회』제74집, 2013.

조정환,『예술 인간의 탄생』, 갈무리, 2015.

존 맥켄지,『오리엔탈리즘 예술과 역사』, 문화디자인, 2006.

질 들뢰즈,『차이와 반복』, 민음사, 2012.

_____ ,『천 개의 고원』, 새물결, 2003.

_____ ,『프루스트와 기호들』, 민음사, 2013.

최선화,「서양음악에 영향을 미친 아랍음악에 대한 연구」,

　　『음악연구』제34호, 2005.

테오도르 아도르노,『신음악의 철학』, 세창, 2012.

_____ ,『음악적 인상학 : 말러』, 책세상, 2004.

페리클레스 외 ,『그리스의 위대한 연설』, 민음사, 2015.

하워드 구달,『다시 쓰는 음악이야기』, 뮤진트리, 2015.

한독음악학회,『음악사회학 원전 강독』, 심설당, 2006.

한미숙,「우회적 진행 : 지름길과 돌아가는 길」,『낭만음악』

　　제19권 제2호, 2007.

찾아보기

**감정,   읽는
이미지,   클래식
수사로**

윤희연 지음

초판 1쇄 발행 2020년 11월 20일
초판 2쇄 발행 2021년 4월 20일

ISBN   979-11-90853-06-4 (03670)

발행처	도서출판 마티
출판등록	2005년 4월 13일
등록번호	제2005-22호
발행인	정희경
편집장	박정현
편집	서성진
마케팅	주소은
디자인	조정은
주소	서울시 마포구
	잔다리로 127-1, 8층 (03997)
전화	02. 333. 3110
팩스	02. 333. 3169
이메일	matibook@naver.com
홈페이지	matibooks.com
인스타그램	matibooks
트위터	twitter.com/matibook
페이스북	facebook.com/matibooks

이 도서는 한국출판문화산업진흥원의
'2020년 우수출판콘텐츠 제작 지원' 사업 선정작입니다.